はじめに

中高生のみなさん、最近、本は読んだでしょうか？

中高生を指導されている先生方、生徒さんたちは学校図書館や公共図書館に行ったり、本を手に取ったりしているでしょうか？

全国学校図書館協議会が毎年五月に行っている学校読書調査では、「不読率」が必ずと言っていいほど話題になります。

「不読率」とは、一カ月のあいだに一冊も本を読まなかった児童・生徒の割合のことです。二〇一九年のデータによると、高校生は五十五％、中学生は十三％になるとのことでした。こういう児童・生徒のことを、調査では「不読者」と呼んでいます。

中学生は二〇〇〇年頃まで、四十％以上の「不読者」がいました。けれども、学校で行われている「朝の読書」などの活動によって、ここ二十年ほどでかなり本を読むようになっています。つまり、今の中学生は、昔の中学生より圧倒的に本を読んでいるのです。

一方で高校では、同じような活動を行っている学校もありますが、なかなか読書が広がりません。それに、多くの先生方や司書の方から、熱心に図書館などに通ってものすごく本を読む生徒と、まったく手に取らない生徒とに大きくわかれているというお話をうかがいます。

これも、無理のないことのように思います。

中高生は勉強に、部活に、塾に、とても忙しい日々を過ごしています。スマホでSNSを使って友達と連絡をとらないといけませんし、ゲームだってしたいし、ネットで動画だって見たい。これらは中高生のみなさんにとっては、学校生活を送る上で、ある意味でとても重要なことです。それに、今の中高生はスマホに接している時間が多いので、実は今の大人たちが中高生だったときよりも、ずっと活字に多く接しているかもしれません。

その上にまだ、本を読むなんて!

そんなふうに思う人も、多いのではないでしょうか。

けれども、生徒、学生に教える立場としては、やっぱり中高生には本を読んでほしいと思ってしまいます。

スマホや日常生活では接しない、いろいろな言葉を知ったり、筋道に沿って文章を読み進めたり。また、国語の授業ではどうしても短い文章を扱うことしかできませんが、長い文章を読んで頭の中でまとめるという力は、やはり本を読むことによってしか得られません。短い文章や、文章の一部分を読む力と、本を一冊読み通す力とは、大きく違ったものです。

また、進学するときの入試ということを考えると、特に小論文が必要になるときには、本を読んでいることが欠かせません。小論文を書くには、書くための内容が必要です。その内容はどうしても付け焼き刃でなんとかなるものではなく、いろいろな文章、情報に接していないと得られないものだからです。どんなに文章の書き方を勉強して、先生に直してもらっても、本を読んでいない人の小論文はすぐにそのことがわかってしまいます。

そして、高校を卒業した後。進学したり、就職したりしたときに、自分で何かを勉強し、新しいことを知るためには、「本を読む」ことがそのまま「勉強する」ことになっていきます。そのため、高校生までに、できることなら本を読む習慣を身につけてほしいと思っています。

でも、いきなり「本を読め！」と言われても、困ってしまいますよね。

読みたい本がない。

何を読んでいいのかわからない。

手に取って読んでみたけれど、さっぱりわからなかった。

先生からすすめられた本は、まじめすぎてつまらない。

そもそも文字を読むのがめんどくさい！

きっと、中高生のみなさんの中には、こういう気持ちを持ったことがある人も、多いのではないでしょうか。

実は先生にとっても、あるいは学校図書館や公共図書館の司書の方たちにとっても、中高生に本をすすめるのは、とても難しいことです。

一人一人興味や関心が違いますし、国語が得意な人も苦手な人もいます。それぞれの人に合わせて本をすすめることができれば良いのですが、それを探るのは簡単なことではありません。

そこでこの本は、中高生のみなさんが、そして中学生、高校生に本をすすめたいという先生方や司書の方が、どうやって本を一緒に探していけば良いのか、生徒と先生、司書の方が一緒に読書を作っていく上で、何かヒントになりそうなことはないかと思い、まとめたものになっています。

第1部では、ブックトークのやり方にしたがって、いろいろな本を紹介しています。気になった本があったらぜひ手に取ってみてください。また、紹介する中には少しずつ、本を読むときのヒントを入れるようにしてあります。

このとき、小説だけでなく、論説文や解説書、マンガと、さまざまな本を意識的に取り入れました。どうしても中学生や高校生の読書というと、まずは小説を紹介して本に親しむことを目指すというケースが多くなります。しかし、読書をすすめていく上では、小説以外の本から読み始めてもかまわないと強調することが、読書の入口をより広くしていくためにとても重要です。特にこれからの学校で求められる読解力を身につける上では、このように小説以外の本を含めて読んでいくことが求められていくようになると考えられます。

第2部では、中高生のみなさんと、中学校、高等学校の先生方や、司書の方々に向けて、読書会や、ブックトークのやり方を説明しています。また、そうした活動が、中学校では二〇二一年度、高等学校では二〇二二年度から本格的に始まる新学習指導要領における国語の学びとどのように結び付くのかについても、紹介しています。

もちろんこの本の中でご紹介した本や、読書の仕方が「正解」ではありません。けれども、中高生が本を探したり、読んだりするときの一つのやり方、方向性を考えていく上できっかけになることができれば、嬉しいと思っています。

大橋崇行

中高生のための本の読み方　目次

第1部では、ブックトークのやり方にしたがって、いろいろな本を紹介しています（ブックトークについて、詳しくは第2部をご覧下さい）。

ここでのブックトークのテーマは、毎回、国語や理科、社会といった中学校・高等学校の教科を当てはめ、その中からもう少し絞り込んだテーマを設定しています。

また、どうしても中学生や高校生の読書にとっての読書というと小説を読むことが中心になってしまいますが、新書や解説書、さらにはマンガなども含めて、できるだけそのテーマに関わる広い範囲の本を選書するようにしました。

そのため、この中で紹介した本は、公共図書館のＹＡ（ヤングアダルト）サービスに排架する本や、中学校、高校の学校図書館に入れてほしい本、中学生や高校性に読んでほしい本の、読書案内としても使えるようになっています。もし気になった本があったら、ぜひ手に取ってみてください。

もちろん、この第1部で書いたものと同じようなブックトークを、中学生や高校生、あるいは大学生が、同じようにできるとは考えていません。けれども、ブックトークを実際にする上でヒントになりそうな進め方のパターンを、できるだけ多く含めるようにしていますので、ぜひ参考にして頂ければと思います。

i

ブックトーク
読書案内

1時間目 理科（地学）

星と宇宙のストーリー

紹介した本

「月の起源を探る」、『国語3』
小久保英一郎
光村図書、二〇一六年

『カリスマ解説員の楽しい星空入門』
永田美絵
筑摩書房〔ちくま新書〕、二〇一七年七月

『星の案内人』
上村五十鈴
芳文社〔芳文社コミックス〕、全四巻、二〇一三～一六年

『新編　銀河鉄道の夜』
宮沢賢治
新潮社〔新潮文庫〕、一九九二年、他

『初恋彗星』
綾崎　隼
KADOKAWA〔メディアワークス文庫〕、二〇一〇年

国語
3
光村図書
永田美絵
カリスマ解説員の
楽しい星空入門
八板康麿
矢吹浩
CHIKUMA SHINSHO
ちくま新書
1269

初恋彗星

説明文の「よみにくさ」

中学校三年生用の国語教科書『国語3』（光村図書）に、小久保英一郎「月の起源を探る」という文章が収められています。この教科書は非常に多くの学校で使われているので、読んだことがあるという方も多いのではないでしょうか。

この文章は、月がどのようにしてできたのかについて、さまざまな「仮説」を示しています。

形ができたばかりの地球が高速で自転をしたことで、一部がちぎれて分離し、それが月になったのではないかという「分裂説」。

地球と月とははじめから、惑星、衛星としてできあがっていたとする「共成長説」。

別の場所でできた星だった月が、地球の重力に捕まって衛星になったという「捕獲説」。

筆者の小久保さんはそれぞれの「仮説」を、科学的な研究の成果を踏まえて否定していきます。その上で、できたばかりの地球に「原始惑星」が衝突して月が誕生するという「衝突説」を、「最も有力な仮説」として説明しています。

この文章は大人の私たちから見ると一見、簡単な文章のように見えます。それは、「分裂説」「共成長説」「捕獲説」「衝突説」という四つの「仮説」がそれぞれはっきりと示されている上、「仮説」を立て、それを実験やデータによってたしかめ、結論に導くという「科学的」なものの見方に沿って文章が書かれているからです。

しかし中学生のみなさんにとっては、この文章はとても難しいという印象を持たれるようです。

まず、「分裂説」「共成長説」「捕獲説」「衝突説」それぞれが、どういう意味を持った用語なのかを確認しなくてはいけません。けれども、本文に書かれた内容から、本文で使われている言葉の「意味」を確定していくという文章に触れる機会は、これまであまりなかったのではないかと思います。

第二に、仮説、検証、結論という展開が、こういう「科学的」な文章を読み慣れていない中学生にとっては、非常に読みにくいものに感じられるようです。

また、この文章は「結論」が「筆者の主張」というよりも月の誕生についての「説明」になっているので、本文のどこに読解のポイントを見つけ出せば良いのかがわかりにくいということも挙げられます。

そしてこの文章のいちばん難しいところは、教科書の構成上、地球の「自転」「公転」をはじめとした三年生理科の「第2分野」で扱う天体についての内容をまだ勉強しないまま、この文章を読まなくてはいけないということです。

もちろん理科の授業ではないので、この文書を読んで理科の勉強をする必要はありません。けれども、「知らない」ことを説明文で読むということは、中学生くらいの年代にとって、なかなかハードルの高いことです。

そもそも文章に書かれていることにこれまでほとんど触れていないわけですから、その文章のどこに興味を持てば良いのか、どこに注目すれば良いのかが、なかなかわからない。それが、この「月の起源を探る」という文章を国語の授業で読むときの難しさなのです。

読むプラネタリウム

一方で、地球の公転や月の満ち欠けについて勉強をしたことはなくても、宇宙と天体についてのそれ以外の部分は、小学校のときに触れているはずです。四年生のときに出てきた、星座についての学習です。

みなさんの中には、「月の起源を探る」という説明文に興味は持てなくても、小学生だったときにこの分野が好きだった人はけっこういるのではないでしょうか?

星座早見盤を持って夜空を眺めたり、天体望遠鏡で空を見たり、あるいは流星群や彗星を探したりしませんでしたか?

こうした、すでに知っていることを振り返ったり、それと関連づけて新しいことを知ったりという形であれば、説明文を読むことのハードルも、そうではない文章に比べて少し低くなるように思います。

そこで、**永田美絵『カリスマ解説員の楽しい星空入門』**をご紹介したいと思います。

永田美絵さんについては、ご存じの方も多いかもしれません。

東京にある東急コミュニティーコスモプラネタリウム渋谷で解説員をされていて、NHKラジオ第一で夏休みに放送されている『子ども科学電話相談』で、小学生の質問に答えていらっしゃる方です。

この『カリスマ解説員の楽しい星空入門』は、春・夏・秋・冬それぞれの季節の星座について、太陽系の惑星について、それからプラネタリウムの楽しみ方や、プラネタリウム解説員の仕事内容について説明しているものです。

もしこの本を手にしたら、まずはパラパラと写真や絵を眺めてみましょう。

「第一章　春の星座と神話——銀河の向こうの別の宇宙」では、おおぐま座、北斗七星と北極星、うしかい座、おとめ座……と、天体写真に星座の絵を加えた図版が掲載されています。

その中で少しでも気になったものがあったら、その星座について書かれた文章のほうを読んでみてください。

その星座の中にある代表的な星、星座にまつわる神話、星座のみどころと、まるでプラネタリウムの解説をそのまま読んでいるかのように、とてもわかりやすく丁寧に説明されています。その意味でこの本は、「読むプラネタリウム」といっても過言ではないと思います。

人生のプラネタリウム

星座の復習をして、星座について新しい知識を得たら、それを題材にした小説やマンガにも、手を伸ばしてみたくなりませんか?

そこでご紹介したいのが、**上村五十鈴『星の案内人』**です。

マンガ作品なので図書館ではほとんど置いていないでしょうし、中学校や高校で実施している「朝読書」で読むのも、少し抵抗があるかもしれません。

けれどもこの作品は、図書室の司書の方や国語の先生に見せれば、きっとOKが出る本ではないかと思います。ぜひ相談してみてください。

物語は、とある田舎にある「小宇宙」という名前のついた、ドーム状の屋根がある建物が舞台になっています。

そこは、一人のおじいさんが、ドームや機械をすべて自分で作って営んでいる小さなプラネタリウム。ここには、幼いときからヴァイオリンを弾いていたものの、急に弾けなくなったために実家を出て、「小宇宙」の近くにあるおばさんの家で暮らしているトキオをはじめ、毎日いろいろな人が訪れてきます。

たとえば、1巻に収録されている「第3話　ベテルギウス」では、「小宇宙」の近くにある小学校を十年以上前に卒業した男性・瀬尾修(せおおさむ)が訪ねてきます。

小学校が廃校になるという話を聞いて、自分がかつて居た場所が「なくなる」ことで何か大事なものを亡くしてしまうのではないかと不安になり、最後に小学校の校舎を見て回ることにした瀬尾は、学校からの帰り道にふと「小宇宙」に立ち寄ります。

その日、おじいさんが上映したプラネタリウムに映っていたのは、オリオン座でした。1等星のベテルギウスがまもなく「超新星爆発」を起こしてなくなってしまうという話を聞き、瀬尾は、小学校のある故郷に対して持っていた自分の気持ちに気が付いていきます。

このように『星の案内人』は、第19話のスーパームーン、第26話のダークマターなど、天体と宇宙についてのさまざまな話題にも触れながら、おじいさんがプラネタリウムに映し出した星座や星をめぐる話が、「小宇宙」を訪れる一人一人が抱えているそれぞれの思いや人生につながっていくというストーリーになっています。

やや大人向けの内容なのですが、一話から二話で一つのお話が完結する短編連作の形になっていますので、中高生のみなさんにも読みやすいのではないかと思います。

「星」と初恋のミステリ

星と宇宙を題材にした小説といえば、**宮沢賢治『銀河鉄道の夜』**が、その代表的なものでしょう。

ただ、『銀河鉄道の夜』については、あえて紹介しなくてもいろいろなところで話を聞くことがあると思いますので、ここではもう少し別の「星」をテーマにした小説、**綾崎隼（あやさきしゅん）『初恋彗星』**を読んでみたいと思います。

『初恋彗星』は、「花鳥風月」シリーズというシリーズものの第二作という位置づけですが、シリーズ内のそれぞれの作品で内容は違っているので、単独の小説として読むことができます。

幼い頃に両親が離婚し、父と二人で暮らしていた逢坂柚希（あいざかゆずき）は、隣に住んでいた父親の親友の娘・美蔵紗雪と兄妹のように暮らしていました。小学生のある日、満天の星空のもとで紗雪と一緒に犬の散歩をしていた柚希は、新潟から転校してきた舞原星乃叶が自宅に火をつけようとしているところに出会ってしまいます。星乃叶は継母から暴力を受けており、そこから逃れようとしていたのです。

星乃叶の事情を知った紗雪の母親は、星乃叶を引き取ることを決めます。そこから柚希と星乃叶は親しくなり、十二歳のときに恋愛関係を結ぶことになりました。

中学生になり、流星群の天体観測に出掛けた日、柚希と星乃叶、紗雪、そして友人の琉生の四人は、二〇六一年に一緒にハレー彗星を見ようと約束をします。けれどもその後、柚希は星乃叶の実家がある新潟へサッカーの試合を見に行き、そこで一緒にジェラートを食べたのを最後に、離ればなれになってしまいます。

柚希は星乃叶と手紙をやりとりし、星乃叶がアメリカに渡ってからも、お互いに連絡だけは取り合いました。しかし……。

ミステリーとしてこの小説を読むと、こうした柚希と星乃叶との関係そのものが「謎」になっています。同時に、天体観測の日に交わしたハレー彗星を一緒に見ようという約束が、最後まで柚希たちにとっては大切なものになっていきます。

綾崎隼さんはここ数年、比較的本をよく読んでいる高校生女子から、よく名前が挙がるようになってきた作家です。

切ない恋愛を描いた青春小説にミステリ要素を含めて書くことを得意にしていますが、ストーリーのテンポが良くて読みやすく、一方で小説のいろいろなところに伏線が張り巡らされている、非常に凝った作りの小説になっていることが特徴です。

その中で、この『初恋彗星』は、「星」をテーマにしたストーリーになっています。もちろん「星乃叶」というヒロインの名前にも、この「星」をめぐるテーマが隠されていますので、その点も読みどころになるでしょう。

星と宇宙の物語

『星の案内人』や『銀河鉄道の夜』『初恋彗星』に限らず、宇宙や星をめぐっては、昔からさまざまなストーリーが紡がれてきました。

考えてみれば、『カリスマ解説員の楽しい星空入門』で数多く紹介されているように、星座はもともと神話をもとにして作られています。

夜空にある星々のほとんどは、地球にいる私たちにとって、目に見えているにもかかわらず、おそらく永遠にたどり着くことのできない場所です。そういった場所は人間の想像力をかきたて、新しいストーリーを次々に生み出してきたのです。

今回ご紹介したものの他にも、星や宇宙をテーマにした本はたくさんあります。ぜひそんな本を片手に、プラネタリウムや天体観測にも足を運んでみてください。

2時間目——古典

古典を面白く読むには？

紹介した本

『あさきゆめみし』（完全版）
大和和紀
講談社〔KCデラックス〕、二〇一七年

『暴れん坊少納言』
かかし朝浩
ワニブックス〔ガムコミックスプラス〕、二〇〇七～一〇年

『高校生のための古文キーワード100』
鈴木日出男
筑摩書房〔ちくま新書〕、二〇〇六年

『平安女子の楽しい！生活』
川村裕子
岩波書店〔岩波ジュニア新書〕、二〇一四年

『あかねさす　新古今恋物語』
加藤千恵
河出書房新社〔河出文庫〕、二〇一三年

『告白予行練習』シリーズ
藤谷燈子・香坂茉里
KADOKAWA〔角川ビーンズ文庫〕、二〇一四年～

『告白実行委員会』シリーズ
香坂茉里
KADOKAWA〔角川つばさ文庫〕、二〇一六年

暴れん坊少納言
Abarenbou SHONAGON
かかし朝浩
KAKASHI Asahiro

平安女子の楽しい！生活
川村裕子 著

HoneyWorks・原案
アニプレックス・企画／監修
ヤマコ・カバー絵
モゲラッタ／ろこる・挿絵

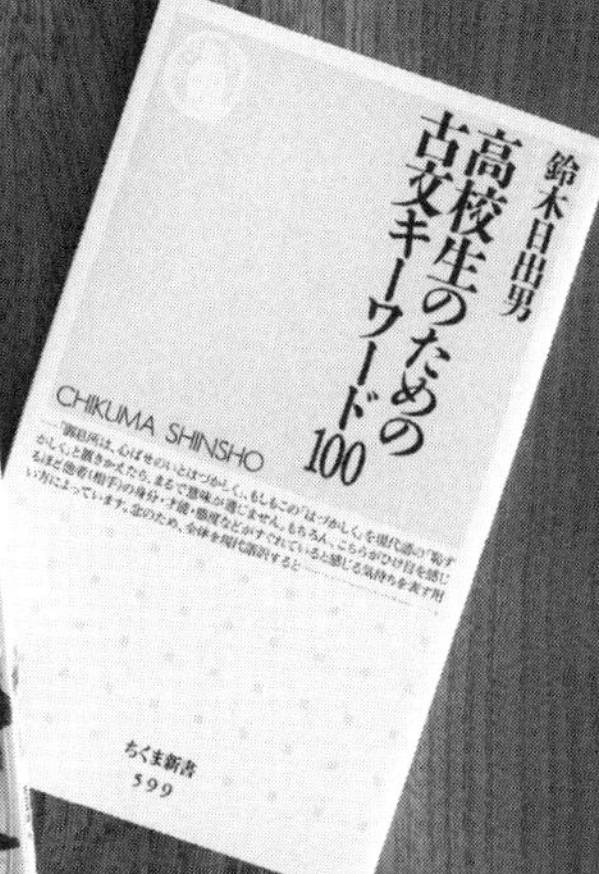
鈴木日出男
高校生のための古文キーワード100
CHIKUMA SHINSHO
ちくま新書
599

外国人に「日本」を紹介できますか？

高校生のみなさん、アルバイトはしてますか？

アルバイトをしている人が、勤め先のお店で、外国の人から声を掛けられるとします。もしそこで、「これからどこかへ遊びに行きたいんだけれど、おすすめの場所ない？」と聞かれたら、どこを紹介するでしょうか？

ほんの数年前までなら、これはほとんど起こらないことだったと思います。

たとえば二〇一〇年に日本を訪れた外国人旅行客は八〇〇万人、二〇一四年は一三〇〇万人でした。ところが、二〇一六年に初めて二〇〇〇万人を越えて一気に二四〇〇万人となり、二〇一七年以降はもっと多くの方が日本を訪れています。二〇二〇年、新型コロナウイルスの影響で海外との人々の往来は難しくなっていますが、今の状況が収まれば、また以前のような旅行客が戻ってくることと思います。

これといった資源がなく、技術の分野でも中国が台頭してきているために、商品を開発し、売っていくことが難しくなっていくこれから先の日本では、外国人旅行客の受け入れが重要な産業の一つになると考えられています。そのため政府も主導しながら、熱心に外国人旅行客の受け入れを進めてきたのです。

さて、最初の質問に戻しましょう。外国人の方におすすめするのは、秋葉原の電気街ですか？　東京ディズニーランドですか？

たとえばディズニーランドを訪れる人は、はじめからそこを目指してやってきています。そのため、あえて紹介することはないでしょう。

電気街は一時期、中国からの旅行者が家電製品を大量に買う「爆買い」が、非常に話題になっていました。けれども、今ではもうだいぶ落ち着いています。何かを買う目的での旅行は、手に入ったらそれでもう満足してしまうので長続きしません。

外国人旅行客が日本を訪れる目的は、日本でしか体験できないものを体験するという段階に入っていると言われています。温泉や銭湯に行くことや、茶道や書道などの文化体験、意外なところでは居酒屋でお酒を飲んでみたいということも含まれているそうです。

そういう人たちに訪れてほしい場所を紹介するときには、どうしても古くからの歴史や文化にまつわる場所になります。日本人が日本のことをどれだけ外国の人に伝えることができるか、もっと言えば、私たちがどれだけ日本を知っているか、日本の歴史や文化についてどれだけ知識、教養を持っているかが試されることになるわけです。

このとき、そうした教養の入口になるのが、古典の勉強です。けれども、古典の勉強をすることは、中高生にとってかなりハードルが高いことのようです。

今までに見たことがない言葉があったり、たとえば「めづらし」「おどろく」のように、昔から残っていても、現在では古典で使われているものと大きく意味が変わってしまった言葉もあったりします。特に古典文法を勉強するのが大変だという高校生は多いでしょう。また、今とは時代背景が異なっているので、文章を読んでもどういう状況が描かれているのかなかなか理解できないところも多いと思います。

角川ソフィア文庫や講談社学術文庫などから、原文に現代語訳がついているものが出版されてもいますが、それでも難しいという人も多いかもしれません。そこで今回は、みなさんに日本の古典に興味を持ってもらえそうな本をご紹介していきたいと思います。

ツンデレ清少納言

『源氏物語』を授業で扱うときに、**大和和紀**（やまとわき）**『あさきゆめみし』**を高校生に紹介するということは以前からよくありました。

最近では、古典文学作品の内容をマンガでわかりやすく伝えてくれる本も、とても多くなっています。学研教育出版が刊行している「学研まんが日本の古典」シリーズや、小学館の「マンガ古典文学」シリーズ、くもん出版の「まんが古典文学館」シリーズなどは、学校図書館や公共図書館でも所蔵しているところがよく見られます。

その中で特におすすめしたいのが、**かかし朝浩**(あさひろ)**『暴れん坊少納言』**です。

このマンガは、清少納言を「ツンデレ」でツッコミ気質の女性として設定し、『枕草子』の各章段を現代風にアレンジしています。その分、実際に『枕草子』で描かれたものとは意図的にずらしているところや、歴史的な事実と違う部分もありますが、一方で『枕草子』で清少納言が語っている内容をとてもみごとに切り取っています。

たとえば、1巻に収められている「六段　ひた隠せ若さまかせの初作品」は、中学校や高校の国語で必ず扱う『枕草子』第一段を扱った内容です。

春はあけぼの。やうやう白くなりゆく山ぎは、すこしあかりて、紫だちたる雲の細くたなびきたる。

この章段は四季それぞれの「をかし」を順番に挙げていくという内容なので、古典の授業では「たなびきたる」の後に「をかし」を補うように、先生方は指導されています。

平安文学の解釈では、形容詞をどのようにとらえるかが、とても重要だと考えられてきました。そのため問題は、この「をかし」をどう現代語に置き換えるかということになります。

一般的には、『源氏物語』で多く使われている「あはれ（もののあはれ）」が「しみじみとした情感」を表すのに対して、「をかし」は知的な美意識を表し、「趣（おもむき）がある」「風情がある」と現代語訳するとされています。

けれども、「趣がある」と言われても、現代の私たちにはなかなかピンときません。しかも、ユーモアや皮肉を交えながら、宮廷生活の様子をいきいきと描いている『枕草子』の書き方から考えると、こうした堅苦しい言葉はむしろ違和感があります。

古典として何百年も残ってきた作品だから、きっと立派なことが書いてあるに違いない。そんな思い込みもあって、「趣」「風情」といった訳が使われてきているようにも思えます。

それを『暴れん坊少納言』では、次のように訳しました。

春は、あけぼの。辺りが少しずつ白んでいくうちに山の上が少し明るくなって、紫がかった雲が細くたなびいている感じが好き。

この現代語訳を見たとき、私はとても驚きました。清少納言が「ツンデレ」キャラとして設定されているからこそ出てきた表現なのですが、一方で、清少納言が『枕草子』で書いていた感覚は、もしかするとこの「好き」という表現がいちばん近いのではないかと思えてきたのです。

「をかし」について考えよう

鈴木日出男『高校生のための古文キーワード100』は、心情語を中心に古文の読解方法を解説した本です。古典文学についてより深く勉強したい人にはぜひおすすめしたい入門書の一つです。

この本では、古語辞典に載っているような言葉の「意味」を順番に暗記していく勉強をすすめてはいません。古文に出てくる言葉の一つ一つがもともと持っているイメージとしての「語感」から考え、そこから古典文学の読み手が自分で解釈を作っていくという勉強のやり方について書かれています。

その中で平安時代で使われた「をかし」の語感は、次のように書かれています。

平安時代には、ほほえましいと思う気持ちから、興味がもてる、情趣がある、など多くの意として広く用いられるようになる。

この本によれば、物事から距離を取って好意的な、明るい気持ちを表すのが「をかし」、それに対して、主観的な感情をしみじみと表すのが「あはれ」だということになります。

このように考えると、春の風景を「好き」とあっさり言い切ってしまう『暴れん坊少納言』の清少納言は、「をかし」という言葉が持つ感覚、何かを見たときにほほえましく思いながら好感を持つ瞬間を、非常によくとらえていると言えるのです。

著者の鈴木日出男先生から、私は大学を卒業して大学院に入学した最初の二年間、一緒に『源氏物語』を読んでいくという授業を受けていました。その授業でとても印象に残っているのが、「らうたし」「うつくし」という言葉のとらえ方です。

「らうたし」は、自分よりも弱いものをかばってやりたい気持ち、「うつくし」は小さいものに対して、愛情を注ぎたい気持ちを表現する言葉です。

『源氏物語』ではこの言葉が、10歳で光源氏に拾われ、養われるようになった若紫に対して使われています。光源氏が彼女を引き受けたときはまだ子どもなので、光源氏から若紫を見れば、当然こういう表現になるわけです。

しかし、若紫が成長し、光源氏の妻となり、紫の上と呼ばれるようになってからも、源氏の視点に立つと必ず「うつくし」「らうたし」という表現が出てきてしまいます。たとえ妻になったとしても、光源氏にとって紫の上は、永遠に娘であり、少女であり続けなくてはならなかった、そこに紫の上という女性の悲劇があるのだと、鈴木先生はおっしゃっていました。

古典文学の文章は、現代文の論説文などが持っているような、接続詞で作っていく論理を必ずしも持っていません。けれども、このように一つ一つの言葉の中に、文章を読み進めていく上での論理が含まれています。古典を読むということは、こうした言葉そのものが持つ論理を読み解く力を身につけるということなのです。

平安女子の生活とは?

一方で古典文学を読むためには、そこに描かれているさまざまな時代背景について知っていることも大切です。そのときにとても手に取りやすいのが、**川村裕子『平安女子の楽しい!生活』**です。

この本は、「インテリア&ファッション編」「ラブ編」「ライフ編」の三部で書かれています。「インテリア&ファッション編」では平安時代に貴族の女性が住んでいた家や、身につけていた着物、どういう女性が「美人」で、どういう男性が「イケメン」だったのかが紹介されています。

たとえば、平安女性貴族の服装としてよく知られているのが「十二単(じゅうにひとえ)」です。けれども川村さんによれば、この「十二単」という言い方はおかしいそうです。なぜなら、女性の単衣(ひとえ)とは女性の下着のことで、これを何枚も重ねていたわけではなく、実際に重ね着をしていたのは「単衣」の上に着る「袿（うちき）」と呼ばれる着物だからです。

その上で、これらをどのように重ね着したのか、重ね着することで視覚的にどういう効果があったのかなどが、詳しく、わかりやすく書かれています。

また、中高生が古典文学を読む上でいちばん難しいと思われるのが、和歌を読むことです。けれども川村さんは、この和歌を、現代で言うメールやＬＩＮＥのようなものととらえています。

男性がまず、女性にＬＩＮＥ（和歌）を送る。それに対して、女性がＬＩＮＥ（和歌）を返す。これが平安時代のルールです。このときに、いかにモテる内容を送るかが、恋愛のこの後の展開を決めると言っても過言ではありませんでした。

また、デートの後には当然、お礼のＬＩＮＥ（和歌）が必要になります。これを後朝（きぬぎぬ）の和歌と言います。

こういうふうに考えると、一見難しそうな古典文学の世界にも、もっと親しみが持てるかもしれません。

古典の恋、現代の恋

こうした古典文学に見られる和歌のやりとりの感覚を、現代によみがえらせた小説があります。それが、**加藤千恵『あかねさす　新古今恋物語』**です。

この作品は、『新古今和歌集』に収められた和歌から連想された現代の恋物語を作り、それに歌人でもある加藤千恵さんが自作の短歌を添えるという形式で、全二十二話のショートストーリー集になっています。

たとえば第12話「揺らしたら溢れてしまう」は、式子内親王の「玉の緒よ絶えなば絶えねながらへば忍ぶることのよわりもぞする」（『新古今和歌集』巻第十一、恋歌一）をもとにしたストーリーです。

これは、『小倉百人一首』にも採られているよく知られた和歌で、高校の古典の教科書にも取り上げられています。「私の魂よ、絶えるものならば絶えてしまえ。もしこのまま生きながらえてしまったなら、私がずっと抱いてきた恋心が、隠していることに耐えられずに周囲に知られてしまいそうだから」と、恋心を伝えられない相手に対して持ってしまった秘めた恋を、激しく歌いあげたものです。

この和歌を、『あかねさす　新古今恋物語』では、主人公で女子大学生のまどかが、お姉さんのカレシである「大竹くん（大竹仁志）」に対して抱いてしまった恋のストーリーに置き換えています。

まどかの家で大竹くんが夕食を食べ、まどかが車を運転して彼を送っていくことになった日。大竹くんを送り届けた後、後部座席に座っていた姉が不意に、「まどか、仁志のこと好きでしょう」と、声を掛けます。本心を言い当てられたまどかは「え、そんなわけないいじゃん」と姉の言葉を否定しますが、自分の胸の鼓動が速くなっていくことに気付きます。

そうした状況を、加藤千恵さんは「揺らしたら溢れてしまう　もういっそわたしごと消えてしまいたい夜」という自作の歌で締めくくっています。

もともとの歌にあった「忍ぶ」は、じっと我慢して耐える、という「語感」を持った言葉ですが、その耐えている様子が同じ女性どうしである姉には見抜かれてしまったのではないか、という状況を想像して、そこに古典文学の世界と現代とのあいだに通じる人間の心を読み取っているのです。

和歌は「歌う」もの

このように、和歌から物語を書くという手法は、平安文学にもありました。高校一年生で必ず扱う『伊勢物語』がそれに当たります。

この作品は、在原業平の和歌を中心に、そこから連想された物語を集めたもので、「歌物語（うたものがたり）」と呼ばれています。このときに重要なのは、和歌は当時ただ「詠む／読む」だけのものではなく、実際に節をつけて「歌う」ものだったことです。

今でも、初音ミクをはじめとしたボーカロイドを使った楽曲からイメージした小説を書く「ボカロ小説」や、クリエイターユニットの「HoneyWorks」が作った楽曲をもとにした「ハニワ」小説が書かれていますね。その中でも特に**藤谷燈子・香坂茉里『告白予行練習』**シリーズや**香坂茉里『告白実行委員会』**シリーズは、2016年から2017年にかけて、中学生女子にいちばん多く読まれていた小説の一つだそうです。

恋を題材にした「歌」から、恋物語を作る。これは時代を超えて、女性読者から支持される、一つの物語の形なのかもしれません。また、そうして歌として切り取られる人の心は、ときに時代を超えて、私たちのあいだで共有することができてしまうのです。

このように考えると、現代からはるか遠い時代に書かれた和歌や、物語が、ぐっと私たちにとっても身近なものとして受け取られるのではないでしょうか。『枕草子』の「をかし」を「好き」と現代のキャラクターに合わせて訳した『暴れん坊少納言』もそうですが、こうして時代を超えて通じる部分をみつけていくことが、私たちが古典文学を読むときの手がかりになるように思います。

3時間目 理科（化学）／世界史

コーヒーを飲みながら読みたい本

『珈琲店タレーランの事件簿』シリーズ
岡崎琢磨
宝島社〔宝島社文庫〕、二〇一二年〜

『ココロ・ドリップ』シリーズ
中村一
KADOKAWA〔メディアワークス文庫〕、二〇一四〜一六年

『カフェかもめ亭』
村山早紀
ポプラ社〔ポプラ文庫ピュアフル〕、二〇一一年

『純喫茶「一服堂」の四季』
東川篤哉
講談社〔講談社文庫〕、文庫版は二〇一七年

『謎解きはディナーのあとで』
東川篤哉
小学館〔小学館文庫〕、文庫版は二〇一二〜一五年

『コーヒーの科学
「おいしさ」はどこで生まれるのか』
旦部幸博
講談社〔ブルーバックス〕、二〇一六年

『珈琲の世界史』
旦部幸博
講談社〔講談社現代新書〕、二〇一七年

『孤独のグルメ』
久住昌之原作・谷口ジロー作画
扶桑社、一九九七年、二〇一五年

『だがしかし』
コトヤマ
小学館〔少年サンデーコミックス〕、二〇一四〜一八年

『ラーメン大好き小泉さん』
鳴見なる
竹書房〔バンブーコミックス〕、二〇一四年〜

紹介した本

『プロフェッショナルの習慣力
トップアスリートが実践する「ルーティーン」の秘密』
森本貴義
SBクリエイティブ〔ソフトバンク新書〕、二〇一三年

『コーヒー・ルンバ』
細川貂々
マガジンハウス、二〇一五年

『ツレがうつになりまして。』
細川貂々
幻冬舎〔幻冬舎文庫〕、文庫版は二〇〇九年

『ツレと私の「たいへんだ！」』
細川貂々
文藝春秋、二〇〇九〜一〇年

細川貂々
HOSOKAWA Tenten
COFFEE RUMBA
コーヒールンバ
マガジンハウス

BLUE BACKS
コーヒーの科学
「おいしさ」はどこで生まれるのか
旦部幸博

東川篤哉
純喫茶「一服堂」の四季
講談社文庫
森本貴義
プロフェッショナルの習慣力
トップアスリートが実践する「ルーティン」の秘密

コーヒーの「ルーティーン」

私には一つの習慣があります。

それは、仕事帰りなどに必ずカフェや喫茶店に寄って、コーヒーを飲むこと。

テーブルの上にコーヒーを一杯置いたら、そこで仕事をしたり、原稿を書いたり、本を読んだりと、二時間ほどの作業をします。

もしかすると、カフェや喫茶店の店員さんにとっては、かなり迷惑な客かもしれません。けれどもこれが、自分が仕事をするための一連の動作になってしまっているのです。

たとえば、スポーツ選手が集中力を高めるための方法として「ルーティーン」というものがあるそうです。

森本貴義『プロフェッショナルの習慣力　トップアスリートが実践する「ルーティーン」の秘密』には、野球のメジャーリーグで活躍していたイチロー選手が行っている「ルーティーン」について詳しく書かれています。

打者がバッターボックスに立つとき、サッカー選手がフリーキックを蹴るときなどに、毎回必ず決められた同じ動作をします。そのことで、モチベーションや集中力を高めることができるとされているのです。

この「ルーティーン」については、その効果の有無も含めて研究者のあいだで多くの議論が行われています。

一方でよく考えてみると、実は私も意識してやってきたかどうかはともかく、コーヒーを飲むときに同じことをしているようにも思います。

カフェや喫茶店には必ず右足から入り、左方向に曲がって席を確保。コーヒーをテーブルの右側に置いたら、カップの取っ手があるときはそれが右向きになるように回します。その後、五分間だけスマートフォンで業務メールのチェックをした後で、ノートパソコンを開きます。一度大きく深呼吸して、それ以降はコーヒーを飲みながら、必ず一時間半のあいだノートパソコンの前で仕事をします。

こうしていつも決まった動作のルールを作って、そのあいだは仕事をしなくてはいけないという自分なりのルールと関連づけていく。あるいは、いつもの同じ「ルーティーン」から、「ルーティーン」ではない作業に入っていく。

これで集中力が高まっているのかどうかはわかりませんが、たとえば中高生や大学生に勉強のやり方を聞かれたときには、まずは毎日できるだけ決まったときに、決まった時間だけ勉強するという自分なりのルールを作って習慣化することを教えています。私の場合は「コーヒーを飲む」というきっかけを作ることで、そのルールを作っているのです。

私にこの習慣ができたのは、大学生のときでした。

大学生になる前、まだ高校生だったときは、週に一回くらい喫茶店やカフェに入って、本を読んでいました。

実は甘いものが好きなのに、ブラックコーヒーを飲みながら文庫本を読んでいるのが、カッコいいと思っていたのです。中二病の症状の一種ですね。

中二病とは、中学二年生くらいの思春期の時期に、他者から自分がどのように見られているのかという自意識が生まれるようになり、それを意識した結果として行動に表れてくるものです。

こうした中二病的な症状の延長線上にある作業を、およそ20年にわたってほとんど毎日続けています。そう考えると、けっこう中二病の症状が残っているのかもしれません。

まずは入門から

さて、前置きが長くなりましたが、今回はそんなコーヒー（珈琲）にまつわる本をご紹介していきたいと思います。

コーヒーについての簡単な入門編としておすすめしたいのが、**細川貂々**（ほそかわてんてん）『**コーヒー・ルンバ**』です。

著者の細川貂々さんは『**ツレがうつになりまして。**』や『**ツレと私の「たいへんだ！」**』など、コミックエッセイを数多く出版されています。

この『コーヒー・ルンバ』もその一冊で、「ツレ（夫）」にすすめられてコーヒーを初めて「おいしい」と感じた著者が、千葉県浦安市猫実にある猫実珈琲店の店主であるケーコさんから、コーヒーがどのように作られるのか、豆の種類によって違う「焙煎」（自分の店でコーヒー豆を加熱、乾燥させること）のやり方、豆の保存法、豆の挽き方など、自宅でよりおいしいコーヒーを淹（い）れる方法を教えてもらうという内容になっています。

どうやったらおいしいコーヒーができるかは、たしかに研究され、進化し続けています。また、凝れば凝るほどマニアックな世界が広がっています。

けれども、巻末の「ケーコさんのアドバイス」にもあるように、まずは「コーヒーはあくまで嗜好品」だと考えて、「自分の好きな飲み方」で「楽しむ」ことが大事だと教えてくれます。

コーヒーの科学と歴史

一方で、今度はもう少しコーヒーのマニアックな部分を覗いてみましょう。

私は一九九〇年代以降に登場したおしゃれな雰囲気の「カフェ」だけでなく、昔ながらの「喫茶店」にもよく行くのですが、特に「自家焙煎」でコーヒーの味を追い求めるお店や、あるいは自分でよりおいしいコーヒーを淹れようとしている人たちには、非常に奥深い世界があります。

たとえば、東京の南千住駅から十分ほど歩いたところにある「カフェ・バッハ」などが有名でしょうか。

そういった世界の一端が見られるのが、**旦部幸博『コーヒーの科学 「おいしさ」はどこで生まれるのか』**、**『珈琲の世界史』**です。

『コーヒーの科学』を出している「講談社ブルーバックス」は、中高生のみなさんの中には、あまり馴染みのない人もいるかもしれません。これは、自然科学を中心に「科学」についての話題、知識を、非常にわかりやすく解説している本のシリーズです。

多くの学校図書館や公共図書館に入っていますので、特に理学部や工学部、歯学部、医学部といった大学の学部に進学したいと考えている高校生には、ぜひ朝読書や長期の休みに出される感想文の宿題を書く機会に、自分が行きたいと思っている分野についての本を手に取って頂きたいと思います。

大学でどんなことを勉強するのか、「科学的」に物事を考えるとはどういうことなのかが、何冊か読んでいくうちにきっとよくわかると思います。

その中で『コーヒーの科学』は、コーヒーはどのように作られるのか、豆の種類や歴史、どのように焙煎・抽出をすれば良いのか、コーヒーの「おいしさ」はどのような成分によっているのかといったコーヒーのさまざまな側面について、医学の研究を本業にしている著者が科学的に解説したものです。

たとえば、「第5章　おいしさを生み出すコーヒーの成分」では、コーヒーの苦味がどのように生まれるのかについて、「クロロゲン酸ラクトン（CQL）」「ビニルカテコール・オリゴマー（VCO）」という二つの成分に注目し、高校の教科でいう「化学」の視点から説明しています。

また、「第8章　コーヒーと健康」では、「コーヒーを飲むと人はどうなるのか」という視点から、カフェインがどのように吸収され、神経を刺激し、体がどういう反応を起こすのかについて、分子のメカニズムと人間の遺伝子との関係から考えています。

一見難しい内容に思えるかもしれませんが、とてもわかりやすく書かれているので、コーヒーをふだんから飲んでいる人には興味を持って読めるのではないでしょうか。

また、『珈琲の世界史』は、『コーヒーの科学』ではあまり触れられなかった「歴史」の部分を掘り下げたもの。コーヒーがどのように発見され、世界のさまざまな地域でどのように飲まれてきたのかがまとめられています。

この本で面白いと思ったのは、コーヒーの「歴史」という「物語」を知ることで、「コーヒーのおいしさの感じ方が違ってくる」という、旦部さんの考え方でした。

『コーヒーの科学』によれば、コーヒーのおいしさは、その科学的な成分に由来しています。けれども、たとえばコーヒーの「最古のブランド」と言われる「モカ」がどのように誕生したのかという「情報」によって、「モカ」を飲むときの味そのものが変わってしまうというのは、人間による知覚の複雑さを示しています。

この二冊を書かれた旦部さんのように、「理系」「文系」といった区分にとらわれてしまうのではなく、自分が興味を持ったことについてさまざまな角度からデータや資料を集め、それらを使って突き詰めて考えていくことが、「研究」をするということなのだろうと思います。

喫茶店の「物語」

『珈琲の世界史』で紹介されていた「物語」は、コーヒーをめぐる「事実」としての「歴史」でした。著者の旦部さんは誇張や脚色を交えた「物語」ではないものを追究されていましたが、一方で、小説やマンガ、アニメーションなど、フィクションとして作られた「物語」の中で食べ物が描かれることで、それがよりおいしそうに見えることはたしかにあります。

松重豊が演じるテレビドラマで人気になっている**久住昌之原作・谷口ジロー作画『孤独のグルメ』**はやや対象年齢が高めですが、**コトヤマ『だがしかし』**のマンガ原作やアニメーションを見ると無性に駄菓子が食べたくなりますし、**鳴見なる『ラーメン大好き小泉さん』**を見た後で食べる深夜のラーメンは、罪悪感も入り混じりつつとてもおいしく感じられます。

もちろんコーヒーをめぐる「物語」も、以前からマンガや小説で多く書かれてきました。

たとえば最近の小説では、コーヒーを淹れる職人「バリスタ」をしている切間美星が日常の謎を解いていく**岡崎琢磨『珈琲店タレーランの事件簿』**シリーズや、「カフェ六分儀」を舞台に人と人とをつながっていくストーリーを描いた**中村一『ココロ・ドリップ』**シリーズ、喫茶店を訪れたお客さんたちが自分の周りで起こった不思議な出来事を語る**村山早紀『カフェかもめ亭』**など、読んだ読者があたたかい気持ちになれるような「ほっこり」系の作品で、舞台として喫茶店が使われることが多くなっています。

そんな中で特におすすめしたいのが、**東川篤哉『純喫茶「一服堂」の四季』**です。

『週刊未来』という怪しい週刊誌の編集をしている二流出版社「放談社」の編集者・村崎蓮司(むらさきれんじ)が、鎌倉でみつけた奇妙な古い喫茶店「一服堂」。そこの女性店主であるヨリ子は、およそ接客業に向いているとは思えないほど、口下手で人見知りな性格で、しかも、淹れるコーヒーはごく普通。むしろ「薄い」味の微妙なもの。けれどもそんなヨリ子は、自分で淹れたコーヒーを飲みながら猟奇殺人事件についての他人の「薄い」推理を聞いているといきなり性格が変わり、切れ味鋭い推理を見せ、「深い」味わいのコーヒーを淹れられるようになります。

『謎解きはディナーのあとで』で大ヒットした著者のユーモアミステリですが、この小説の特徴は、コーヒーを推理小説としての構造を成り立たせるための道具立てとして使っていることです。

本当は「深い」味のおいしいコーヒーを淹れられるのに、ふだんは「薄い」コーヒーしか淹れられないというヨリ子の奇妙なキャラクターは、表面的な情報しか見ないで考える他の登場人物たちの「薄い」推理と、事件の真相に迫るヨリ子の「深い」推理というストーリーに結び付いています。

おいしいコーヒーが飲めるようになった瞬間に、推理が始まる。読者はその瞬間に小説に引き込まれて、ヨリ子による推理を一気に読み解きたくなる。それだけでなく、ヨリ子が淹れるコーヒーがいったいどういう味なのか、とても気になってしまう。そういった読者の心理を巧みに利用しているのです。

文章を読んだり、小説を読んだりするのが苦手な人でも手に取りやすい作品ですので、ぜひカフェや喫茶店でコーヒーを片手に読んでみてください。

4時間目　音楽
ピアノの「音」を表現する

紹介した本

『のだめカンタービレ』
二ノ宮知子
講談社〔Kissコミックス〕、二〇〇二年～二〇一〇年

『神童』
さそうあきら
双葉社〔アクションコミックス〕、一九九八年

『ピアノの森』
一色まこと
講談社〔アッパーズKC〕〔モーニングKC〕、一九九九～二〇一五年。講談社漫画文庫版が二〇一六～一七年

『四月は君の嘘』
新川直司
講談社〔講談社コミックス〕、二〇一一～二〇一五年

『蜜蜂と遠雷』
恩田陸
幻冬舎〔幻冬舎文庫〕、文庫版は二〇一九年

『羊と鋼の森』
宮下奈都
文藝春秋〔文春文庫〕、文庫版は二〇一八年

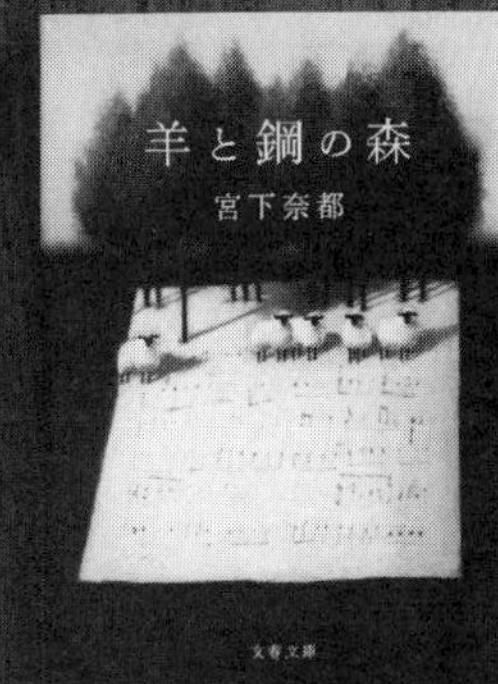
羊と鋼の森
宮下奈都
文春文庫

恩田陸
蜜蜂と遠雷

ピアノにまつわる物語

習い事についての情報を発信しているインターネット上のサイト『ケイコとマナブ.net』が二〇一七年九月に行った調査によると、小学生の習い事で人気があるのは、一位が水泳、二位が英語・英会話、三位がピアノ。回答者のうちおよそ二〇%の人がピアノを習っている、あるいは子どもに習わせていると答えたそうです。

インターネット上で行われたアンケートなので必ずしも正確な結果が出るわけではありませんが、現在でもかなりの人たちが、子どものときにピアノを習っているとは言えると思います。また、中学生や高校生で、ピアノを続けている人も多いでしょう。

私も小学生のとき、ピアノ教室に通っていました。ぜんぜんまじめに練習をしなかったのであまり進まなかったのですが、そのときのことは今でもよく覚えています。

こういった経験、記憶があると、ピアノの演奏を聴いたり、そうした映像を見ることに、親しみを覚えるようになります。それだけでなく、ピアノを題材にして作られた物語に触れたときにも、その受け取り方が大きく変わってくるはずです。

ピアノを弾く主人公を描いた小説やマンガ、映画、アニメーションの作品は数多くありますが、こうした日本人の習い事の事情もこのことと無関係ではないように思います。

そこで今回は、「ピアノにまつわる物語」を紹介していきたいと思います。

マンガで描くピアニスト

ピアノに限らず、音楽を題材にした作品を創作するときには必ず、大きなハードルが一つあります。それは、ピアノによって演奏される音をどのように表現するのか、それをストーリーとどのように関係づけていくのかという点です。

演奏される音については、実写映画やアニメーションであれば、プロの人が演奏した曲を映像と合わせて流せば良いので、比較的簡単にこの問題が解決します。一方で小説やマンガでは、この部分に作り手のさまざまな工夫が表れてくることになります。

まずはマンガのほうから見ていきましょう。

ピアノを題材にしたマンガには、**二ノ宮知子『のだめカンタービレ』**や、**さそうあきら『神童』**、二〇一八年四月からNHKでアニメ版が放送された**一色まこと『ピアノの森』**など、人気作、ヒット作が数多くあります。

その中で、みなさんがいちばん共感したり、物語に入り込んで読むことができるのが、新川直司『**四月は君の嘘**』だと思います。

二〇一四年から二〇一五年にかけてフジテレビ系列の深夜帯でアニメ版が放送され、二〇一六年には新城毅彦監督、広瀬すず・山﨑賢人主演による映画版が公開された作品なので、ご存じの人も多いと思います。

主人公の少年・有馬公生は、自分をピアニストとして育てるために「操り人形」のように扱う母親のもと、楽譜どおりに曲を機械のように正確に弾けることから、「ヒューマンメトロノーム」と呼ばれていました。しかし母親が亡くなってしまったことをきっかけに、自身で弾いているピアノの音が聞こえなくなるという状態になり、弾けなくなってしまいます。

それから二年。十四歳になっても生きる目標を失っていた公生の前に現れたのは、ヴァイオリニストの宮園かをりでした。

彼女がついたたった一つの「嘘」をきっかけに二人が出会ったとき、公生はふたたびピアノと正面から向き合うようになり、かつて自分に憧れて音楽を目指すようになった同世代の演奏家たちとも出会っていくことになります。

物語の核心は、かをりがついた「嘘」が何だったのか。

けれどもこの部分はぜひみなさんに読んで頂くことにして、ここでは音楽をどのように表現したかに注目してみましょう。

たとえば、コミックス6巻に収められている第24話「射す光」は、かをりが出場したヴァイオリンのコンクールの記念公演（ガラコンサート）に呼ばれ、公生が伴奏をすることになったものの、かをりが会場に現れず公生が一人でピアノを演奏することになるという場面です。

かをりが公生に伴奏を頼んだヴァイオリン曲は、クライスラー「愛の悲しみ」。しかしこの曲にはラフマニノフが編曲したピアノ版があり、公生が子どもだった頃、母親が子守歌のように毎日弾いていた曲でした。

そのため公生は曲を弾くたびに、かつて自分を「操り人形」としていた母親との記憶をよみがえらせてしまいます。

かをりがコンサートに姿を見せなかったことで、このピアノ版を演奏することになった公生。最初は、怒りの感情に身を任せ、自分自身のピアノの技術をみせつけるように、我を忘れて弾いてしまいます。

しかし、いつものようにピアノの「音が聞こえない」状態になった瞬間、公生はふとこの曲を「母さんが好きだった」こと、母親が子守歌として「優しく」赤ん坊を「抱きしめる」ように弾いていたこと、そのときの音、そして、母親が自分を心から愛していたことを思い起こし

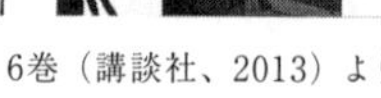
新川直司『四月は君の嘘』6巻（講談社、2013）より

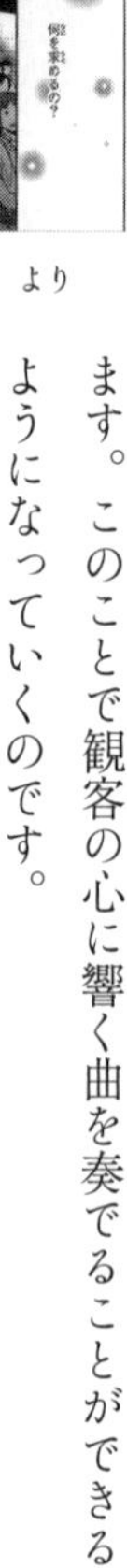

ます。このことで観客の心に響く曲を奏でることができるようになっていくのです。

『四月は君の嘘』ではこの他にも、公生がコンクールに復帰する場面（4巻、第16話「ねぇ、ママきいてよ」）や、藍里凪と二人でチャイコフスキー作曲・ラフマニノフ編曲の『〝眠れる森の美女〟より「薔薇のアダージョ」「ワルツ」』を連弾する場面（9巻、第34話「深淵をのぞく者」、第35話「心重ねる」）など、作中人物の記憶とそこから生じる感情を曲を演奏している絵に重ね合わせ、曲が進むにつれて揺れ動いていくものとして描き出すことで、音楽を表現しようとしています。

このことで、音楽を作中人物をめぐる物語と結び付け、曲そのものが持っている物語性も利用して、音を表現することができないマンガでも音楽が読者に伝わるように表現しようとしているのです。

また、『四月は君の嘘』で用いられている曲を、実際に演奏されたものと「聴き比べ」てみるというのも、ぜひおすすめしたい読み方です。

言葉で紡ぐ音楽

マンガであれば絵をともなっているので、読者はその絵のとおりに作中人物がピアノを演奏している場面を想い描くことができます。

これに対して小説には、ほとんどの場合、絵がありません。一方で、作中人物の心の中で起きたことや、そのときの状況については、言葉によってマンガよりもずっと具体的に描くことができます。そこから、どのように読者のイメージを作っていくかが問題になるわけです。

それでは、音の出せない小説で音楽を表現しようとするとき、何を、どのように描けば良いのか。この点でとても面白い試みをしているのが、二〇一七年に第一五六回直木賞と、書店員の投票で選ばれる本屋大賞とをダブル受賞した、**恩田陸『蜜蜂と遠雷』**です。

単行本を手に取ると分厚さに驚く人もいるかもしれませんが、とても面白いので、それを気にせず一気に読めると思います。

この小説は、三年ごとに開催される「芳ヶ江国際ピアノコンクール」を舞台に、そこで起きた出来事とコンクールに出場したピアニストたちを描いていています。

養蜂家の子どもで、世界中の音楽家から尊敬を集めていたピアニストのユウジ・フォン＝ホフマンが、亡くなる直前にコンクールへと送り込んだ少年・風間塵。母親が亡くなってしまってからピアノが弾けなくなってしまった、かつての天才少女・栄伝亜夜と、その友人の浜崎奏。亜夜の幼なじみで、ずばぬけた演奏技術を持つ優勝候補のマサル・C・レヴィ・アナトール。ピアノから離れてサラリーマン生活をしていたものの、二十八歳の年齢制限ギリギリの年に出場を決めた高島明石と、彼を取材することになった仁科雅美。そして、コンクールの審査をするピアニストたち。

このように特定の主人公を決めず、さまざまな人物の立場でピアノコンクールに対するそれぞれの思いをたどった、群像劇になっています。

この作品では、ピアニストたちがピアノを演奏している場面を、とても丁寧に、読者がイメージとして把握できるように表現しています。

凄い情報量だ。

やはり亜夜のラフマニノフに圧倒されつつも、明石はそんなことを考えていた。

プロとアマの音の違いは、そこに含まれる情報量の差だ。

一音一音にぎっしりと哲学や世界観のようなものが詰めこまれ、なおかつみずみずしい。

それらは固まっているのではなく、常に音の水面下ではマグマのように熱く流動的な想念が鼓動している。音楽それ自体が有機体のように「生きて」いる。

　彼女の演奏を聴いていると、遥かな高みから睥睨(へいげい)する高次の存在を感じてしまう。彼女自身がピアノを媒体とした、巫女か、依代のようなのだ。彼女を使って誰かが「弾いて」いる――そんな気すらしてくる。


　コンテストの第二次予選、最後の演奏者である栄伝亜夜のステージは、マサル、明石、奏、塵、審査員の嵯峨三枝子とナサニエル・シルヴァーバーグ、そして亜夜自身というそれぞれの視点から描かれます。

　引用は明石の視点。亜夜がラフマニノフ『「音の絵」作品39、アッパーショナート変ホ短調』を弾いているところです。一音一音が奏でる音の質や、そこで表現される演奏者の情念、演奏から聴衆の一人である明石が抱いたイメージと、次々に音が言葉として置き換わっていきます。

　また、他の人物たちは、亜夜の演奏に驚きながらも、それぞれに違った聴き方をしています。マサルは亜夜の演奏が「城」のように確立していくことを感じ、亜夜自身は母親と自分との関係を曲から思い起こす、それを感じ取った奏は大地に包まれるような安心感、安堵感を感じる。

　このように、群像劇が複数人物の視点から描けることを最大限に利用して、さまざまな角度からピアノの音を言葉で描き出そうとしています。

音を探求する物語

ピアノと向き合う人たちの人生を、ピアニストとは違った立場から描いているのが、**宮下奈都『羊と鋼の森』**です。この作品は、『蜜蜂と遠雷』の前年に本屋大賞を受賞し、二〇一八年六月には映画版が公開されました。

ストーリーは、ピアノの弦を調整して、音や響きを作り出す調律師を描いたもの。主人公の外村は、高校生だったときに体育館にあるピアノを調律する板鳥の仕事に感動して自身も調律師を目指すようになり、晴れて板鳥が勤めている「江藤楽器」に調律師として入社します。同僚となった柳や秋野、由仁と和音の双子の姉妹をはじめ、客として調律を依頼してくる人たちと触れあうことを通して、外村が調律師として成長していく姿を描いています。

これまでご紹介してきた二つの作品がドラマチックなストーリーで読者をドキドキさせるものでしたが、『羊と鋼の森』は、「僕」(外村)による静かな語り口で、ピアノの音を探求していきます。

まずは、鍵盤の高さの調節からだ。鍵盤の奥につながるクッションが摩耗してしまっている。ここに、ごく薄い紙を敷いて高さを調節する。もともと鍵盤の可動範囲は十ミリしかない。〇・五ミリでも違っていたら、弾きにくくてたまらないだろう。

高さの次は、深さだ。ひとつずつ叩いて、ハンマーが弦に当たる位置を確かめる。

そうしてやっと調律に入る。前に、柳さんと話したことがあった。目を瞑って音を決めろ、と。あれは比喩ではなかったのだと思う。目を瞑り、耳を澄ませ、音のイメージが湧いてきたのをしっかりつかまえて、チューニングピンをまわす。

物語の終盤、外村は、柳の結婚披露パーティで和音が弾くことになっているピアノの音を調律することになります。

ピアノは、鍵盤を叩くと、その反動で動いたハンマーが中にある弦を叩くことで音を出しますが、その鍵盤のわずかなズレや、ハンマーによる弦の叩き方を調整し、そこから生まれる一つ一つの音を作り出していきます。

タイトルにある「羊」はハンマーを覆う羊毛のフェルト。「鋼」は一本一本の弦。そこから生まれる音を、外村が心の中に持っているイメージとしての「森」と重ねていく。そうして音を探求していく姿が、外村が調律師として成長していく物語そのものとして紡ぎ出されているのです。

表現と物語

これまで、「ピアノにまつわる物語」ということで、三つの人気作を読んできました。もちろん『蜜蜂と遠雷』の中心は、コンクールをめぐって展開される人間模様や、それぞれの人物がコンクールにかける思い、そしてその中でピアニストとして成長していく物語にあります。また、『四月は君の嘘』では、公生とかをりとの恋愛関係も、とても重要な要素を占めています。

その中で今回は、そうした物語の部分に加えて、三つの作品がピアノの「音」をマンガや小説といった音のないメディアでどうやって描いていたかという、表現の部分にこだわって読んでみました。

このように言葉では本来表現できないはずのものを、どのように表現するのか、それらが物語とどのように関係しているのか、そしてそれらが作品ごとやメディアごとに、どのような工夫によって行われているのか。もちろんこうした表現の仕方にはある程度様式化されたパターンになっているものもあるのですが、一方で、創り手の側ではさまざまな試みを行っています。

こうした視点から読み返してみると、きっと、作品の違った側面が見えてくるのではないかと思います。

昼休み

図書館に行こう!

紹介した本

『学校図書館は
カラフルな学びの場』
松田ユリ子
ぺりかん社(なるにはBOOKS別巻)、二〇一八年

『図書館戦争』シリーズ
有川浩
KADOKAWA(角川文庫)、文庫版は二〇一一年

『海辺のカフカ』
村上春樹
新潮社(新潮文庫)、文庫版は二〇〇五年

『晴れた日は図書館へいこう』
緑川聖司
ポプラ社(ポプラ文庫ピュアフル)、文庫版は二〇一三年

『十年後の僕らはまだ
物語の終わりを知らない』
尼野ゆたか
KADOKAWA(富士見L文庫)、二〇一七年

『夜明けの図書館』
埜納タオ
双葉社(ジュールコミックス)、既刊六巻、二〇一一年〜

十年後の僕らは
まだ物語の
終わりを
知らない
夜明けの
図書館
埜納タオ
双葉社
晴れた日は
図書館へいこう
緑川聖司

学校図書館は
カラフルな
学びの場
松田ユリ子 著
ぺりかん社

学校図書館で起きていること

定期テストの前など、勉強をしたいときに学校図書館や市町村立の公共図書館を自習室代わりに使う中学生や高校生は、とても多いのではないかと思います。

公共図書館の中には、本の閲覧室とは別に自習室を作って、開放しているというところもたくさんあります。自分の部屋で勉強しているとどうしてもいろいろな誘惑に負けてしまうので、少しでも周囲の人たちからの目があって、なおかつ静かなところのほうが、集中できますよね？

一方で図書館といえば、本を読むところ。

最近では公共図書館はもちろん、学校図書館でも、ただ書架に本を置いて係の人が貸し出すだけの場所では収まらないところが増えてきています。

他の人が読んで面白かった本についての情報交換をしたり、イベントを開いたり。できるだけ本を読むことに親しみを持ってもらい、本を読むことのハードルが低くなるように、さまざまな工夫が行われています。また、本についてだけでなく、音楽や美術などについて生徒どうしが交流する場所として、図書館が場所を提供するというケースも増えてきています。

こうした試みの実例を、特に神奈川県の学校で行われているものから数多く紹介しているのが、**松田ユリ子『学校図書館はカラフルな学びの場』**です。

図書委員の生徒がアーティストの方やラジオ局に取材をして音楽雑誌を制作している神奈川県立柿生高等学校や、写真家の大橋仁さんを招いて写真作品のスライドショーと質問、議論を行うイベントを開いた神奈川県立大和西高等学校、毎週木曜日に図書館でカフェを開設し、そこに集まった生徒どうしで文化祭でのファッションショーを企画した神奈川県立田奈高等学校。もちろん、どうやって生徒たちが本を読むきっかけを作るかという試みについての報告も載せられています。

この中で著者の松田さんが特に強調しているのは、生徒たちから寄せられた「やりたい！」という思いに学校図書館にいる学校司書がどのように答えていくか、そして、そうした生徒たちそれぞれの立場や価値観を尊重して、多様性がある場をどのように形作っていくかということです。

タイトルに「学び」とあると少し堅苦しく思われるかもしれませんが、みなさんの学校でもできることはないか、考えるきっかけになる本だと思います。

また、この本が出ているシリーズ「なるにはＢＯＯＫＳ」は、医師や裁判官、建築家、お花屋さん、さらにはマンガ家や声優、ダンサー、力士まで、さまざまな職業にどのようにしたら就くことができるのか、実際にそうした仕事にたずさわっている人たちへの取材も含めて、一つの職業ごとに一冊にまとめているものです。

少し情報が古くなってしまっているものもあるのですが、多くの学校図書館にまとめて置かれている定番シリーズなので、興味がありそうなものをぜひ手に取ってみてください。

図書館を舞台にした小説

本にふだんから親しんでいる人にとって、図書館はとても馴染みがある場所です。そのため、小説やマンガの作品でも、図書館を舞台にした物語が数多く作られています。自分がいつも出入りしている場所について書かれたものなら、作品に興味を持ちやすい人が多いためでしょう。

よく知られているところでは、**有川浩『図書館戦争』**シリーズ、**村上春樹『海辺のカフカ』**が挙げられますが、みなさんにまずご紹介したいのが、**緑川聖司『晴れた日は図書館へいこう』**です。

この小説は市立図書館を舞台に、そこで次々に起こるちょっと変わった事件について、図書館が好きな小学五年生の女の子・茅野しおりが、いとこで司書をしている美弥子と一緒に謎解きをしていくという日常ミステリです。

三歳の女の子が「わたしの本」だと言って『魔女たちの静かな夜』を勝手に持っていってしまった理由を探す第1話「わたしの本」。しおりと同じクラスの安川くんが持っているという、図書館から「六十年」のあいだ借りっぱなしになっている本についての謎を描いた第2話「長い旅」。

文庫で四十ページくらいで読める短いストーリーを重ねていく短編連作の形になっているので、中学生の朝読書や、高校生の通学時間のあいだに、ちょうど一話を読み切ることができる構成になっています。

それぞれのストーリーで謎解きをしながら読むのも面白いですが、この作品の特徴は、どうやって図書館を使えば良いのかを、図書館を使う側である子どもの視線から描いている点です。


図書館には、ひとつの階に二台ずつの検索機があって、図書館にはどんな本があるのか、その本は現在貸し出されているのか、などを調べることができる。使い方は簡単で、画面に並んだ「あ」から「ん」までの文字を指で直接押して、最後に「さがす」のボタンを押せばいいだけだ。

（「第1話　わたしの本」）


この小説は、主人公のしおりが、「わたし」という一人称で語っています。そしてこの部分では、小学五年生の「わたし」が実際に検索機を使うことを通して、その使い方を紹介するという形になっています。こうした子どものまなざしをリアルに再現しているという点で、主人公の視点をとてもよく活かした小説だと言えます。

このように小説を読むときは、誰が、どのようにしてストーリーを語っているのかに注目すると、今まで読んでいたのとは違った側面が見えてきます。

学校図書館×青春

図書館を舞台にした青春恋愛ストーリーを描いているのが、**尼野ゆたか『十年後の僕らはまだ物語の終わりを知らない』**です。

母校の中学校で国語の教員と司書教諭とを兼ねている篠島孝平は、自身が発行している図書館だより「霧中ＢＯＯＫＳＨＥＬＦ」で、作家・小此木香耶が書いた新刊の小説がいかにすばらしい作品かを書きました。けれども、香耶がインターネット上でいつも批判されているために、なぜこんな作品を評価したのかとネット上で批判されてしまい、図書館だよりそのものが存続の危機に陥ってしまいます。ただ、それをきっかけに香耶が孝平が勤めている中学校にやってきて図書館だよりに匿名で小説を連載することになり、やがて孝平と香耶、そしてその周囲にあった過去が明らかになっていくというストーリーです。

この小説では、主人公の孝平が、自分が中学生だったときの記憶とどのように向き合うかということが、一つのテーマになっています。

その中で、過去を引きずって生きるのではなく、どうしたら前向きに「いま」を生きていくことができるのか、つらい出来事を共有する孝平と香耶の二人が、小説を通じてそれをどのようにして乗り越えていくのかが、とても丁寧に描かれています。

また、学校の先生の働き方についてもよく取材して書かれているので、中高生のみなさんがふだん接している先生と比べると、先生という立場にある人について新しい発見があるかもしれません。先生だって、一人の人間として、いろいろな悩みを抱え、それをなんとかしようとしている。そういう視点で読んでも、面白い小説だと思います。

マンガで読む図書館

図書館を舞台にしたマンガ作品としては、何よりも**埜納タオ『夜明けの図書館』**を挙げたいと思います。

この作品は、司書として図書館で働くことになったひなこを主人公として、「レファレンスサービス」を行う様子を描いています。

「レファレンスサービス」は「参考調査」とも言い、図書館のカウンターにいる司書、図書館員の方が、利用者が求めている資料を探したり、利用者が何かわからないことがあるときに調べものの相談に乗ったりしてくれるサービスのことです。

この「レファレンスサービス」については、東京の国会議事堂の隣にある国立国会図書館が、全国の図書館に寄せられた相談と、そのときの回答を載せた「レファレンス協同データベース」をウェブ上で公開しています（http://crd.ndl.go.jp/reference/）。

たとえば、「『へそが茶をわかす』という言葉の、意味と出典が知りたい」『読書の秋』とよく言われるが、その由来について知りたい」のような言葉の意味についての基本的な質問から、「ガソリンスタンドの市場動向を調べたい」というビジネスに関するもの、「江戸時代の寿命、どんな病気が流行ったかについて知りたい」というような歴史についてのものなど、さまざまな質問に対し、どういう本を読めばその答えがわかるのかを、司書、図書館員の方が利用者と一緒に探した事例の記録が集められています。

ちょっと変わったところでは、愛知県の蒲郡市立図書館に寄せられた「魔法がつかえるようになりたい」という六歳の男の子からの質問に、図書館の本の中から真剣に調査をして回答をしているような例もあります。

この『夜明けの図書館』でも、地元にあったという郵便局舎の写真を探そうとする第1話「記憶の町・わたしの町」(1巻)や、絵本の中に出てくるたった一つのフレーズからその本を探そうとする第5話「ありがとうの音」(2巻)など、さまざまな相談が取り上げられています。こうした相談を、主人公のひなこが解決していくことそのものが、ミステリの謎解きのような作りになっているのです。

またこの作品では、本を読むことについての大切な要素が描かれています。

たとえば3巻に収められた「第9話　はじめてのレファレンス」は、ひなこが小学六年生だったときの物語です。

自宅の窓から見える図書館に通っていたひなこは、社宅の隣に引っ越してきた、同い年の奏太と出会います。星を見ることが好きな奏太は、病院で教えてもらった冬に見られるという「すずなり星」を見てみたいと願いますが、体が弱いためにそれがなかなかできません。そこでひなこに、自分の代わりに「すずなり星」を探してほしいと頼みますが、ひなこが探してもその「すずなり星」がどの星を指しているのかわからない。そこで、図書館で働いている「こやぎ」さんにレファレンスサービスの相談をして、その正体を探していくことが、ひなこにとって「はじめてのレファレンス」になります。

「知りたい」と思ったことを、本を使って調べていくことが、二人の関係を作っていく。あるいは、同じような興味を持っている二人が、その興味に惹かれて結び付けられていく。本を読むことは、そうした結び付きを作るきっかけになります。

最初に紹介した『学校図書館はカラフルな学びの場』でも触れましたが、今の学校図書館や公共図書館は、そうした人と人とをつなぐ場所としての役割を背負っているのです。

5時間目　技術／情報
SFの想像力と人工知能（AI）

紹介した本

『ロボットの脅威　人の仕事がなくなる日』
マーティン・フォード著・松本剛史訳
日本経済新聞社〔日経ビジネス文庫〕、文庫版は二〇一八年

『人工知能と経済の未来　2030年来雇用崩壊』
井上智洋
文藝春秋〔文春新書〕、二〇一六年

『AIが人間を殺す日　車、医療、兵器に組みこまれる人工知能』
小林雅一
集英社〔集英社新書〕、二〇一七年

『高校生のためのゲームで考える人工知能』
三宅陽一郎・山本貴光
ちくまプリマー新書〔筑摩書房〕、二〇一八年

『AI（アイ）のある家族計画』
黒野伸一
早川書房、二〇一八年

『AIの遺電子』
山田胡瓜
秋田書店〔少年チャンピオン・コミックス〕、二〇一五～一七年。続編の『AIの遺電子 RED QUEEN』が二〇一七～一九年

黒野伸一
AI
のある
家族計画
AI have a family
早川書房

ロボットの脅威
Rise of the Robots
Technology and the Threat of a Jobless Future
Martin Ford
マーティン・フォード
松本剛史訳
人の仕事がなくなる日
日本経済新聞出版社

高校生のための
ゲームで考える人工知能
三宅陽一郎／山本貴光
ちくまプリマー新書
296
AIの遺電子
山田胡瓜
Yamada Kyuri
01

人工知能と職業

二〇一五年に日本語版が刊行された**マーティン・フォード著・松本剛史訳『ロボットの脅威人の仕事がなくなる日』**は、人工知能（AI）やロボットの進化は新しい技術として人類に幸福をもたらすものでは必ずしもなく、人間が機械に次々と仕事を奪われていくことによって、将来的には経済の成長が見込めなくなっていくという警鐘を鳴らしました。

この直前、二〇一四年秋にオックスフォード大学のマイケル・A・オズボーン博士が発表した論文で、人工知能などの発達によってあと十年で「なくなる仕事」がどういう職業かが論じられたこともあり、この本の内容は衝撃をもって受け止められました。

これらを受けて、**井上智洋『人工知能と経済の未来　2030年来雇用崩壊』**、**小林雅一『AIが人間を殺す日　車、医療、兵器に組みこまれる人工知能』**などをはじめ、特に大人のビジネスマンに向けた本では、人工知能の恐怖を論じるものが数多く出版されています。

たしかに、たとえばお店が自動化されれば、買い物をする私たち客の視点からすれば便利でしょう。一方で、そこで働く人がいらなくなったり、人数が減らされたりすることはあるかもしれません。

こうした話は、中学三年の公民の授業、あるいは高校の倫理や現代社会の授業などで、聞いている人も多いと思います。

けれども、これまでも人類は歴史的に、たとえ何かの仕事がなくなったとしても、新しい仕事を次々に作り出して発展してきました。

この点はオズボーン博士の論文でも、今後は特に人工知能が苦手な創造性が求められる領域で、人間が活躍していくことが求められる点を強調しています。今ある仕事がなくなるからといって、いたずらに不安をあおる必要はないでしょう。

一方で、たとえば将棋やチェスで人工知能が人間に勝ったという話がニュースなどで流れてくると、人工知能とはどういうふうに作られているのか、今の時点で人工知能はどういうことができる（できない）のかということは、とても気になります。

けれどもこうした内容を説明した本は、これまでに挙げてきたものも含めて非常に難しいものが多く、中高生のみなさんに読んでもらえそうなものが多くないのが現状です。

ゲームの中の人工知能

そんな中でぜひおすすめしたいのが、**三宅陽一郎・山本貴光『高校生のための　ゲームで考える人工知能』**です。

この本は、デジタルゲームで使われている人工知能の研究・開発をされている三宅さんと、プランナーとしてゲームの企画やデザインをされている山本さんのお二人が、ゲームで使われる人工知能がどのような仕組みでできているのかを、楽しみながら学べるように書かれたものです。

主人公の勇者が魔物を倒す西洋ファンタジー風ＲＰＧ（ロールプレイングゲーム）をプレイするとすれば、ゲームをする主人公を中高生のみなさんが操ることになるので、人工知能を与えられてみなさんと戦うのは魔物となります。

そのためこの本では、勇者を倒そうとする敵の知能をどのように作っていけば良いのかという視点から、人工知能の設計の仕方について説明されています。

たとえば「第一章　キャラクターに知能を与えよう」では、敵となる「ゴブリン」にどのような「命令」をコンピューター上で行えば、その「ゴブリン」がまるで生きているかのように主人公と戦ってくれるかがまとめられています。

その「命令」が自動的に行われるようにプログラムを組み、「ゴブリン」自身が「意志決定」し、「運動」しているかのように見せる。そのことができれば、私たちにはデジタル画面上に作られた一体の人工生物が、「知能」を持って動いている、もっと言えばまるで生きているように見えてしまうわけです。

このような作業は、具体的には、「ゴブリン」の「視覚」や「聴覚」といった感覚をコンピューター上で数学的に作り出し、ある一定の範囲に主人公がいるときに「ゴブリン」が反応して動作するようにさせ、そのルールにしたがって運動させるというものになるそうです。

こうしたプログラムを組むときに中学から高校にかけて勉強した数学がどのように使われるのか、数学が人工知能を考える上でどうして必要になるのかを、図やイラストを使いながらわかりやすく説明していている点も、この本の特徴として挙げられます。そのため、なぜ数学を勉強するのかわからないという人にも、おすすめしたい一冊です。

さらに「第二章　環境の中で人工知能を動かそう」「第三章　メタAIでよき遊び相手を目指す」では、より高い知能を持って動いているように見せるためにはどうすれば良いのか、よりプレイヤーが楽しめるようにするにはどのようにキャラクターを動かしていけば良いのかと、解説が展開します。

この本の中で特に強調されているのは、人工知能が人間から仕事を奪うと論じられるような「人間から見た人工知能」という視点ではなく、「人工知能から見た人間」という立場にこだわることの重要性です。

こうした視点を持ち、人工知能に私たち人間をどのように見せたいのかを設計し、プログラミングしていくことで、人工知能は人間に恐怖を与える存在ではなく、人間にとって有益になり、人間を楽しませるものとなり得る。この点は、とても重要な指摘です。

人工知能と言うと、とても難しいものに思えるかもしれません。けれども具体的な説明を読むことで、一見わかりにくいものでも、そのことについて考えることができるようになります。人工知能のことに限らず、学校の授業でも、ちょっとこの話は難しいな……と思ったら、この本のように具体的に説明が書かれている本を探すと、きっと理解しやすくなると思います。

SFの想像力と人工知能

新しい科学技術は、私たち人間の想像力を大きく刺激します。そのためSF（サイエンス・フィクション）の世界では古くから、そうした想像力を駆使した作品が書かれてきました。

もちろん人工知能についても、例外ではありません。

その中でも**黒野伸一『AI（アイ）のある家族計画』**は、手に取りやすく、面白く読める一冊だと思います。

かつて自動車保険の営業をしていた杉山健司。自動車の自動運転が普及したことによって勤めていた会社は業績不振に陥り、ロボット製造販売会社最大手の「Jロボテクス」社に買い取られてしまいます。その結果、健司はロボットのレンタル販売の営業をすることになり、今までやったこともない仕事はなかなかうまくいきません。

しかも、新たに営業所の所長としてやってきた上司の山下富士夫は、人間のような名前を持ってはいるものの、人工知能を搭載したドローン。もはや人型のアンドロイドですらない上、ハエのようにブンブンと飛びながら社員たちを管理する強引なやり方に不満が出て、健司は自分の部下たちと所長とのあいだを調整することで四苦八苦することになります。

また健司は私生活でも、年老いた両親と二人の子どもの世話で手一杯でした。特に、母親のマサは痴呆の症状が出ており、娘の瑠璃は難しいお年頃。イケメン男性と良い関係になり始めますが、どうやらその彼もアンドロイドのようです。

そんな健司が家に連れてきたのが、恵という名前の、家族とは縁もゆかりもない女性。彼女は家事を一手に引き受け、マサの面倒も見ることになります。

一方、健司が住んでいる場所の近くにあるマンションでは、一件の殺人事件が起きていました。やがて、その殺人事件の犯人として、恵が疑われていくことに……。

あらすじをご紹介すればすぐにおわかりのように、この小説では、最初に挙げたマーティン・フォードの著作などをもとに、人工知能を持つアンドロイドが人間社会に進出して多くの人間の仕事を奪ってしまった、少し先の未来の世界を想像して描いています。

人工知能がどのように人間から仕事を奪うのか、それによって仕事が奪われたり、人工知能の下で働くことになったりした人間がどうなるのか。

そうしたテーマを、健司の家族との生き方についての問題や、殺人事件をめぐるミステリを織り交ぜながら、読者が楽しめるストーリーの中で扱っているのです。

人工知能の人間らしさ

マンガ作品では、**山田胡瓜『AIの遺電子』**が、人工知能の問題を扱っています。

国民のおよそ一割を、人口の体に人工知能を搭載したヒューマノイドが占めている近未来の世界。そこで、人工知能の専門医である須藤が、さまざまなヒューマノイドを治療していきます。第84話から最終の第87話までの「旅立ち」は四回連続で一つの物語を描いていますが、それ以外の回は十六ページの短い読み切りを連ねた、オムニバス形式になっています。

この作品の特徴は、ヒューマノイドを人間と同じように生活し、食事をし、感情を持ち、人権を持っている存在として描いている点にあります。

たとえば「第2話　かけそば」は、落語家として活動しているヒューマノイドが、師匠から「お前の食う蕎麦はまずそうだねぇ……」と言われ、そばを人間と同じように食べる感覚が得られればおいしそうに食べる演技ができるのではないかと体を改造したところ、「ヤブ」の医者に引っかかって体を壊してしまい、須藤がそれを修復するという物語。

ヒューマノイドが事故に遭って体を入れ替えたところおかしな現象が起こってしまう「第15話　ファントムボディ」や、ラーメン屋の店主をしているヒューマノイドが味を繊細に感じ取れるように舌を修復したところ、ラーメンの味が変わってしまったという「第26話　味音痴」など、この作品ではヒューマノイドが身体を比較的簡単に入れ替えられるために、感情にしたがってそれを行ってしまうことで、逆にさまざまな問題が起きてしまうという物語が多く繰り返されています。

こうした人工知能の感情をめぐる問題は、先ほどご紹介した『ＡＩ（アイ）のある家族計画』

ます。

でも、重要な位置を占めています。このことは、とても興味深い問題を示しているように思います。

三宅陽一郎さん、山本貴光さんの本では、現実の世界にある今の人工知能は、あくまでプログラムの中で周囲の世界を認識し、判断し、運動するという役割を持っていました。そのため人工知能が感情を持つというのは、もちろんあくまでフィクションの世界での出来事です。けれども、もしかしたら本当にそういうことがあるかもしれない。そう読者に思わせるところが、SFで発揮される想像力の力だと言うことができるでしょう。

また、もう一つ指摘するならば、こうした感情は現時点で、フィクションでしか人工知能に与えられません。言い換えれば、現代の技術ではそうした感情の部分にこそ人間と人工知能とのあいだの違いがあることが、浮き彫りになっているのです。

SF作品で科学の問題を扱い、人工知能というテーマに焦点を当てることで、むしろ現在を生きる私たち人間が人間らしく生きるとはどういうことなのか、現実の社会で人間がどのように生きているのかが見えてくる。そうした点にこそ、SFにおける想像力の面白さの一つがあると言えるように思います。

6時間目 美術 美術館のススメ

紹介した本

『マンガでわかる「西洋絵画」の見かた』
池上英洋（監修）まつおたかこ（イラスト）
誠文堂新光社、二〇一六年

『西洋美術史入門』
池上英洋
筑摩書房〔ちくまプリマー新書〕、二〇一二年

『美術館へいこう ときどきおやつ』
伊藤まさこ
新潮社、二〇一八年

『さよならソルシエ』
穂積
小学館〔フラワーコミックスα〕、二〇一二〜一三年

『楽園のカンヴァス』
原田マハ
新潮社〔新潮文庫〕、文庫版は二〇一四年

『ジヴェルニーの食卓』
原田マハ
集英社〔集英社文庫〕、文庫版は二〇一五年

マンガでわかる
「西洋絵画」の見かた
美術展がもっと愉しくなる!
誠文堂新光社

美術館へ行こう
ときどきおやつ
伊藤まさこ
新潮社

美術館に行こう

みなさんは、美術館に行ったことがあるでしょうか？

もしかしたら、絵や彫刻、写真を観ることが好きで、よく自分で行っているという人もいるかもしれません。

一方で、授業や遠足・修学旅行で行った、家族に連れて行かれたというような人も多いのではないかと思います。特にそういう人の中には、作品が難しかった、退屈だったという感想を持った人も多いかもしれません。

また、美術館に行ったことがないという人の中には、もしかするととても敷居の高い場所のように感じている人もいるのではないでしょうか？

私自身、今では美術館めぐりが趣味の一つで、海外も含めてかなりの場所を回っています。ジャンルも古典から現代まで、洋の東西も問わず、いろいろなものを観ています。

けれども高校生くらいまでは、ほとんど美術館という場所に行ったことがありませんでした。よく行くようになったのは大学生になってからで、それまでは美術の教科書や世界史・日本史の資料集でときどき「名作」の写真をみかけるだけ。自分とは縁遠い世界だと思っていたのです。

とてももったいないことをしたなあ、と思っています。というのは、中高生のときに観るのと大人になってから観るのとでは、たとえ同じ作品を観たとしても、それに対して持つ印象が大きく違ってくるからです。

十代のときに何かを観て感じることは、一生のうちの数年間、その年代にいるあいだにしか得ることができないものだと思います。それを手に入れないまま、いきなり二十代に入ってしまっていたわけです。

もちろん、美術の世界には専門的な芸術作品の見方があり、さまざまに研究され、議論が行われています。そうした知識の上に立って観ることも大切です。

一方で、ふらりと美術館に行ってみる、その中から自分の好きな絵や自分とフィーリングの合う作品を、自分の感覚だけで探してみる。そうして美術を気軽に楽しむというのも、一つの見方だろうと思います。そういった見方をするとき、芸術と呼ばれる作品は、私たちにとってぐっと身近なものになっていきます。

そこで今回は、「美術に親しむきっかけになる本」をご紹介していきたいと思います。

まずは入門編

最初におすすめしたいのが、**池上英洋**(監修)**まつおたかこ**(イラスト)**『マンガでわかる「西洋絵画」の見かた』**です。

この本は15世紀にイタリアで始まったルネサンス以降の「西洋絵画」について、「名画」とされている作品に描かれているさまざまな要素にどのような意味があるのか、美術の教科書に出てくるような有名画家がどのような人物なのか、また、それぞれの時期にどういう絵が流行し、どういう絵画の技法が用いられ、それがどのように作品に活かされているのかが、イラストつきで説明されています。

たとえば、日本で人気のある絵画に、十九世紀のフランスで起こった「印象派」と呼ばれる画家たちによる作品があります。

一口に「印象派」と言っても、実際には時期や画家それぞれによってさまざまな個性があるのですが、一言で言えば、現実に目の前にあるものをありのままに描こうとしたり、何をどう描くべきかについていろいろな制約があり、非常にパターン化されたりしていたそれまでの絵画に対して、画家それぞれが目の前の風景や人物から持ったイメージを、より自由に表現しようとした運動と言えるでしょう。

たとえばこの本では、こうした「印象派」の初期の代表作の一つとして、パリのオルセー美術館が所蔵しているエドゥアール・マネ『草上の食卓』（1863年）が紹介されています。

まずパッと見て、この絵はおかしいと思いませんか？

『草上の食卓』（『マンガでわかる「西洋絵画」の見かた』より

ピクニックに行ったらしい二人の男性と、一人の女性。男性は流行の服に身を包んでいますが、女性がなぜか裸です。左下に脱ぎ散らかした服や、食べ散らかした食事が落ちているので、おそらく脱いでしまったのでしょう。

でも、外でわざわざ、服を脱ぎ捨てるでしょうか？

しかも、その女性の肌だけが、異様に白く光っているように見えます。

また、後ろにいる女性に注目してみると、かなり大きく描かれています。この絵が描かれた以前の遠近法から考えるともっと小さくなるはずなのですが、なぜこれほど大きく描かれなくてはならなかったのでしょうか。

こうした疑問について、この本ではとてもわかりやすく解説を加えてくれています。本の中でも説明されていますが、この『草上の食卓』は発表された当時、大スキャンダルへと発展しました。けれども、それまでの常識をさまざまに覆した描き方が若い画家たちに衝撃を与え、次の世代の新しい絵画を生み出していくことになります。

著者の池上さんはこの本で、絵画の楽しみ方としてまず「観る」こと、そして「読み解く」こと、そして調べて「掘り下げ」ることを挙げています。

『草上の食卓』について書かれているのは「読み解く」ことですが、いろいろな角度から一枚の絵を見ることができるというのが、この本を通して実感できる作りになっています。また、著者の池上さんの『**西洋美術史入門**』と合わせて読んでみるというのもおすすめです。

身近な美術館を探してみよう

こうした本で美術に興味を持ったとしても、美術館に行くのは大変です。

スペインのマドリードにあるプラド美術館、パリのルーブル美術館やオルセー美術館、イタリアのフィレンツェにあるウフィツィ美術館に行きたいと思っても、なかなか行くことができません。

東京近郊に住んでいる方であれば、上野の国立西洋美術館や東京都美術館、上野の森美術館、六本木の国立新美術館やサントリー美術館などをはじめ、数多くの大きな美術館があります。

けれども、首都圏以外の地域に住んでいる方は、まずはどうやって美術館にアクセスするかが悩ましいところです。(もちろん、現代芸術の所蔵でよく知られている金沢二十一世紀美術館や、日本の近代美術を数多く持っている「石橋コレクション」で有名な福岡県久留米市にある久留米市美術館をはじめ、全国各地に大きな美術館はあります。)

そんなときは、**伊藤まさこ『美術館へいこう　ときどきおやつ』**を開いてみましょう。

この本は、雑誌『芸術新潮』に連載されていたエッセイをまとめたもので、著者の伊藤まさこさんが旅の途中でふらりと入ったという全国二十四か所の美術館が写真とあわせて紹介されています。また美術館以外にも、文学館やその地域で買うことができるお土産、カフェなどにも触れられているので、ガイドブックとしても使うことができます。

個人的に、この中で行ってみたい！　と思ったのが、静岡県駿東郡長泉町にあるベルナール・ビュフェ美術館と、京都府乙訓郡大山崎町のアサヒビール大山崎山荘美術館。

この本で紹介されている場所以外にも、日本国内にはおよそ一一〇〇か所の美術館があるので、ぜひみなさんの家の近くにないか探してみてください。

画家を題材にしたフィクション

よく知られた芸術家やその作品には、さまざまなエピソードや伝説が残されています。そのため、それらはしばしば、フィクションの題材としても使われています。

たとえば**穂積『さよならソルシエ』**は、フィンセント・ファン・ゴッホと、画商として知られるその弟テオドルス・ファン・ゴッホをモデルにしたマンガです。

美術アカデミーに認められたものだけが芸術であり、そうして認められた作品が上流階級にだけ受容される時代に、人々が生きる日常を描いた作品をどのように広めるかで苦闘するテオドルス。大きく史実から離れた作品なので好みはわかれるかもしれませんが、フィクションだと割り切って読めば、面白く読むことができます。

美術を題材にした小説といえば、まず思い浮かぶのがベストセラーになった**原田マハ『楽園のカンヴァス』**です。一九一〇年に描かれたアンリ・ルソー『夢』にそっくりな絵が本物か、偽物か。先にそれを鑑定した者にその作品が譲られるということで、ニューヨーク近代美術館でキュレーター（博物館や美術館で資料の収集に関する研究や鑑定を行う人）をしているティム・ブラウンと、日本人研究者の早川織絵が争うことになるというストーリーです。

少し冒頭のところが難しくて入りにくいかもしれませんが、文章に慣れてくると一気に読み進められます。また、ルソーの作品を中心にさまざまな名画が登場するので、小説を読んでいるとまるで本当にその絵を見ているような気分になることができます。

一方で、原田さんの作品で、画家のほうに焦点を当てているのが、『**ジヴェルニーの食卓**』です。

この小説は、マティス、ドガ、セザンヌ、モネといった画家に焦点を当て、その周りにいた人たちの視点から、それぞれの画家たちが絵を描くときに抱えていたさまざまな人生を描き出した四つの短編連作です。

もちろんこれらの物語はすべてフィクションなのですが、非常に入念な調査に基づいており、もしかしたら本当にこういうことがあったのではないかと思わせられるほど、それぞれの画家たちの姿がリアリティをともなっています。

たとえば一番目の作品「うつくしい墓」は、晩年のアンリ・マティスの家で花瓶にマグノリアの花を生けたことをきっかけに家政婦となり、マティスの死に衝撃を受けて修道女となった女性・マリアがインタビューに答えて、マティスとの過去を回想するという物語です。

この世の生きとし生けるもの。命あふれるものたちに恋をして。

悲しみは描かない。苦しみも、恐れも。重苦しい人間関係も、きなくさい戦争も、ただれた社会も。そんなものは、何ひとつだって。

ただ、生きる喜びだけを描き続けたい。

病魔に冒されても、先生には、確たる決心があった。

マティスといえば、代表作『生きる喜び』に示されるように、自然の彩りにあふれた鮮やかな色づかいと、「喜び」にあふれた絵画で知られています。

そうしたマティスの表現を、この小説では「この世の生きとし生けるもの」に対して向けられたマティスの「恋」だったととらえています。そうした「恋」の感情を通してマティスとマリアは通じ合いますが、それは「恋愛感情」とも違った、もっと大きな世界へと通じる感情だったのではないか。

「喜び」というキーワードは、マティスとその作品について語られるときに、必ずついてまわるキーワードです。けれどもその言葉を無味乾燥なものではなく、一つの人間が持ったいきいきとした実感として描ききったところに、この作品の面白があると思います。

一つの言葉にこだわって読むというのは小説を読むときの基本的な読み方の一つですが、その言葉をただそのまま受け取るのではなく、そこで使われている言葉の広がりに目を向けることで、小説はまた違った表現の奥行きを見せてくれるようになるのです。

これらの作品を読んで興味を持った人はぜひ、その本を片手に、美術館に足を運んでみましょう。

1日目

課外活動

部活、だけじゃない。

紹介した本

『桐島、部活やめるってよ』
朝井リョウ
集英社（集英社文庫）、文庫版は二〇一二年

『バッテリー』
あさのあつこ
KADOKAWA（角川文庫）、文庫版は二〇〇三〜〇九年

『響け！ ユーフォニアム』
武田綾乃
宝島社（宝島社文庫）、二〇一三〜一九年

『部活魂！』
岩波書店編集部編
岩波書店（岩波ジュニア新書）、二〇〇九年

『とめはねっ！ 鈴里高校書道部』
河合克敏
小学館（ヤングサンデーコミックス）、二〇〇七〜一五年

『部活があぶない』
島沢優子
講談社（講談社現代新書）、二〇一七年

『バンドガール！』
濱野京子
偕成社（ノベルフリーク）、二〇一六年

『1518！ イチゴーイチハチ！』
相田裕
小学館（ビックコミックス）、二〇一五〜一九年

バンドガール！
濱野京子 作
志村貴子 絵

相田裕
1
イチゴー イチハチ！

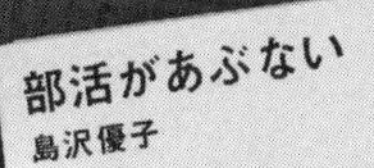
部活があぶない
島沢優子
講談社現代新書
2432

部活魂！
岩波書店編集部 編

部活のいま

中高生を対象にしたYA（ヤングアダルト）小説やライトノベルに限らず、中高生を主人公にした青春ものの小説やマンガ、アニメーションでは、部活動を描いた作品にとても人気があります。

たとえば、**朝井リョウ『桐島、部活やめるってよ』**は、男子バレーボール部のキャプテンだった桐島が部活をやめたことをきっかけに、バスケットボールやバドミントン、吹奏楽、野球、映画といったさまざまな部活に所属する五人の同級生たちの日常に、少しずつ変化が起きていくという物語です。

また、野球部を描いた名作と言えば、**あさのあつこ『バッテリー』**。最近では、アニメーション作品としても人気となった**武田綾乃『響け！　ユーフォニアム』**が、ライトノベルらしいキャラクターを活かしながら、学校の吹奏楽部にしばしば見られる人間模様をとてもよく描いています。

この他にも、部活を題材にした作品は、数え切れないほどの名作が揃っています。

勉強をするためのクラスとは違って、同じ競技、同じ趣味を共有する仲間たちと、一つのことに熱心に打ち込む。

きっと中高生だけでなく、かつて中高生だった大人たちにとっても、部活動は学校生活の中で充実した時間であり、それを描いたストーリーに共感できるところが多いのだと思います。

そんな部活動に、中高生たちが実際にどんなふうに取り組んでいるのか。

それを一冊にまとめたのが、**岩波書店編集部編『部活魂！』**です。

この本は、「私の学校の部活自慢」というテーマで全国の中高生から募集した二十一作品、そのほかにも著名人による部活をめぐる四本のエッセイを集めたものです。

中高生によるエッセイでは、サッカー部や陸上部、吹奏楽部といった多くの学校にある部活の他、郷土芸能部、伝統建築部、龍踊(じゃおどり)部といった一風変わったものまで、それぞれの活動が紹介されています。

たとえば埼玉県立松山女子高等学校の書道部は、書道パフォーマンス（揮毫パフォーマンス）で知られており、マンガ、テレビドラマで人気となった**河合克敏『とめはねっ！ 鈴里高校書道部』**のモデルになったところです。

また、千葉県立松戸秋山高等学校の絵本研究部は、童話や絵本などをもとに紙芝居や人形劇を制作し、老人ホームや保育園への巡回活動を行っているそうです。こうした活動により、部活動を通じて学校以外の社会と中高生のみなさんがつながっていくというのは、とても意味があることだと思います。

また、この本に載せられた報告は、実際にみなさんの中学校、高校で活動をしていく上で、参考になる部分も多いのではないでしょうか。

ブラック部活

一方で現在、その部活動をめぐって、学校現場でさまざまな問題が起きているという現実もあります。

島沢優子『部活があぶない』は、二〇一二年十二月に大阪市立桜宮高校のバスケットボール部で、顧問の教師による体罰によってキャプテンの男子高校生が命を絶ってしまった事件をきっかけに、全国の部活動で起こっている事件と、そうした事件が起こる「ブラック部活」の実態を調査したルポルタージュです。

部活動での人間関係から起こる不登校やいじめ、科学的な根拠のない猛練習、熱中症を見すごして練習させたことによって起きた生徒の死亡事故、顧問の教師による暴言やセクシャル・

ハラスメント。

もちろん、こうした事件を起こす先生は、ごく一部の人たちです。けれども残念ながら、同じようなことが、今でも毎年のように繰り返されているという現実もあります。

一方で学校の先生にとっても、部活動は非常に大きな負担になっています。中学校や高校の先生にとって、本来の仕事は教科の授業を担当し、生徒に学力を身につけさせることです。けれども、朝練、長時間に及ぶ午後の部活動、土日の練習と試合で、休日さえとることができなくなって、教育現場を去っていく先生方も後を絶ちません。

ここには、部活動で子どもを活躍させたい保護者たちや、部活で好成績をあげて学校の名前を宣伝したい学校など、多くの人たちの思惑が圧力となっているそうです。

たとえば運動部にいるみなさんも、毎日練習しないとうまくならないと思っていませんか？けれどもこの本には、練習日数や時間を短くしたことで、生徒たちが主体的に自分たちで考えてさまざまな工夫を行い、むしろ成績を向上させたという例も多く書かれています。休みを十分にとることは、怪我の防止にもつながります。

もちろんこの本は、「ブラック部活」を告発することで、部活動をただ批判するために書かれているものではありません。

どうしたら部活動をより楽しく意味のあるものにしていくことができるのか、部活動以外に生徒たちが活動する場を作ることはできないのかなど、いろいろなことを考えることができる本だと思います。

このように『部活魂！』と『部活があぶない』は、熱心に部活に打ち込む生徒たちと、その一方にあるさまざまな問題という、部活動をめぐる二つの側面をそれぞれ見せています。このように、二つ以上の視点から部活動という一つのテーマについて書かれているものに触れると、いろいろなことが考えられるのではないかと思います。

地域と子どもたちとのつながり

そうした部活動の現状を解決する方法の一つとして期待されているのが、地域のコミュニティセンターなどを使って、子どもたちが活動することを支援するというものです。

濱野京子『バンドガール！』は、小学五年生の女の子・森岡沙良(もりおかさら)が、六年生の新城莉桜(しんじょうりお)たちと一緒に地域の児童センターにバンドのグループとして登録し、ドラムを担当することになるストーリーです。

児童センターで音楽系サークルの指導員をしている池上さんや、沙良の両親をはじめとした大人たちも、いつも周りにいます。けれども、助言はするものの、沙良たちがいろいろなことを自分たちで考えながら活動していくことを見守っています。

もちろん現実ではなかなかこういう活動の進め方は難しいかもしれませんが、この作品は部活ではない別の形を示していると言えます。

一方でこの小説は、こうした子どもたちが活動する姿だけを描いたものではありません。

舞台は、日本海西部で起きた大地震によって、西日本に人が住めなくなってしまった近未来。首都が北海道に移転してしまい、東京にはほとんど人がいなくなってしまいました。誰もが首都がある北海道に移り住みたいと願っていますが、今では抽選で当選した数人しか移住できなくなっているという世界です。

それでも東京の人口は減り続け、子どもたちも少なくなったために、学校ごとの部活動が成り立たなくなっていきます。そのため、別の学校に通っている子どもたちと一緒に活動しなければならないという状況なのです。

そんな中、沙良たちは『忘れられた歌』をみつけます。

それはとても良い曲でしたが、ある理由で歌うことが禁じられていたもので、沙良たちも池上さんから、歌わないように止められてしまいます。

こうした大人たちの考え方に対して、沙良たちがどう考えていくのか。

言い換えればこの作品は、学校から外の世界に出たことによって、その世界にいる地域の大人たちに触れ、その人たちと子どもたちがどのように関わっていくのかを描いた小説だと言えるでしょう。とても面白いテーマを持った作品だと思います。

また、人口が減って一つの学校では部活動が成り立たないという状況は、すでに都市部以外では現実に起こり始めています。その意味でもこの小説は、リアリティを持っているかもしれません。

部活ができなくても

一方で先ほど挙げた『部活があぶない』では、練習のしすぎによるオーバートレーニング症候群によって怪我をしてしまい、競技ができなくなってしまう生徒が多くいるという現状が指摘されていました。

このテーマを扱ったマンガ作品に、**相田裕『1518！ イチゴーイチハチ！』**があります。

高校に入学した丸山幸(まるやまさち)は、知り合いの三年生で生徒会長をしている女性を頼って、部活ではなく生徒会に入会します。

その高校で出会ったのが、中学時代に県内の強豪野球クラブチームでエースとして投げていた烏谷公志朗(からすやこうしろう)。彼は甲子園に出場できる可能性があるということで、幸と同じ松武高校に入学していました。

幸は野球をしていた公志朗をヒーローのように見ていましたが、実際に会った彼にその面影はなく、すでに野球もやめてしまっていました。オーバートレーニング症候群の一つである離脱性骨軟骨炎のために、競技に戻ることはできないと医師から告げられていたのです。

第2話「18番の彼女」は、そんな公志朗に野球への未練を断ち切らせようと、会長が一肌を脱ぐというストーリーです。

もともと会長は、中学三年まで男子と交じってアンダースローの投手として活躍していましたが、当時中学一年だった公志朗に打たれて野球をやめたという因縁がありました。

勝負の条件は、彼女が投げるボールを打てなかったら、生徒会に入ること。

その結果は……。

結局、公志朗は生徒会に入ることになり、幸と二人で自動販売機の設置や生徒総会の運営、応援団の支援など、学校の裏方としていろいろな活動に取り組んでいくことになります。

その意味でこの作品は、野球部という部活で活躍するという夢を一度諦めてしまった公志朗が、部活とは別の新しい目標をみつけていく姿を描いたものだと言えます。また、幸や会長、そのほかの生徒会メンバーたちも、それぞれに学校生活の中でやるべきことをみつけていきます。

学校生活ではどうしても、運動部で活躍している生徒や、好成績をあげている吹奏楽部などの部活動に光が当たりがちです。学校生活を描いたマンガや小説などもそういった作品が多いので、あるいは地味な作品に見えるかもしれません。

けれども、それぞれの生徒が何を目指して、今、何をやればいいのかを探していく姿を丁寧に描いていくというストーリーは好感が持てますし、ほとんどの中高生、そしてかつて中高生だった大人たちにとっても、より身近に感じられるのではないかと思います。

1時間目 国語
怪談の作られ方、楽しみ方

紹介した本

『日本現代怪異事典』
朝里樹
笠間書院、二〇一八年

『伽婢子』
浅井了意・江本裕（校訂）
平凡社〔東洋文庫〕全2冊、一九八七〜八八年

『百物語の怪談史』
東雅夫
KADOKAWA〔角川ソフィア文庫〕、文庫版は二〇〇七年

『怪異を語る 伝承と創作のあいだで』
喜多崎親（編）
三元社、二〇一七年

『巷説百物語』シリーズ
京極夏彦
KADOKAWA〔角川文庫〕、文庫版は二〇〇三〜一三年

『鬼談百景』
小野不由美
KADOKAWA〔角川文庫〕、文庫版は二〇一五年

怪異を語る
伝承と創作のあいだで
喜多崎親[編]
京極夏彦
常光徹
東雅夫
太田晋
喜多崎親
三元社

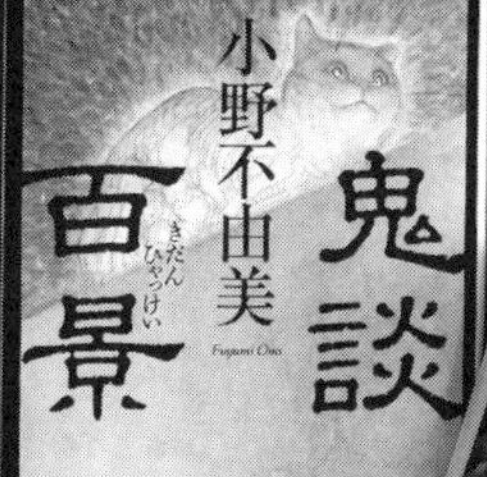
小野不由美
鬼談
百景
きだんひゃっけい

東洋文庫 475
伽婢子 1
浅井了意
江本裕 校訂
平凡社

夏の風物詩

日本の暑い夏の風物詩といえば、かき氷にスイカ、花火、麦茶。夏に欠かせないものは数多くありますが、怪談とお化け屋敷が思い浮かぶ人も多いと思います。

二〇一一年にテレビ番組『所さんの目がテン！』で、中尾睦宏さん（現・国際医療福祉大学医学部心療内科学科（山王病院）教授）が、怪談で涼しさを感じるのは、緊張や恐怖感によって手足の血液循環が少なくなるためだという実験をされていました。けれども怪談には、涼しさを感じるという以外にもいろいろな楽しみ方がありますし、そのためにたくさんの人がそうした本に触れたり、怪談を聞きに行ったりしています。

怪談そのものや怪異・怪談に関する本は数多く出版されているので、書店や図書館に行けば、すぐにそうした本はみつかるでしょう。そこで今回は少し視点を変えて、怪異・怪談にまつわる本と、その楽しみ方の一つをご紹介していきたいと思います。

事典でも読書になる

怪異・怪談についての最近の本の中で出色のものが、**朝里樹『日本現代怪異事典』**です。

この本は、戦後（一九四五年以降）、日本を舞台として語られた怪異や超常現象、呪い、占い、それらにまつわるさまざまなモノについて一〇〇〇項目以上を集め、それらの怪異・怪談がどこに書かれていたのかを示しながら解説をした事典になっています。ふだんは公務員をされている著者が地道に怪談の収集を続け、もともと同人誌即売会で売られていたものを出版したそうです。

特にこの本では、これまではあまり注目されてこなかったインターネット上で広まっている現代の怪異まで含めて集め、解説しているのが特徴です。これだけ厚みのあるものは他に例がないように思います。

読書案内のこの本で事典なんて⁉　と思われる方もいらっしゃるかもしれません。けれどもこの事典は、気になった項目を読んでいるだけでもとても面白い本ですし、その記事に書かれた書名を巻末に入っている参考文献一覧からたどっていくと、それがもう十分に読書案内になるように思います。

怪異・怪談、怖い話に興味がある方は、ぜひ手に取ってみてください。

百物語のやり方

さて、少しお話を、現代から過去にさかのぼってみたいと思います。

日本では江戸時代以来、こうした怪談を夏に楽しむということが行われてきました。

たとえば江戸時代のはじめに書かれた**浅井了意**『**伽婢子**（おとぎぼうこ）』（一六六六（寛文六）年）巻十三「怪（くわい）を話（かたれ）ば怪至（くわいいたる）」（目次では「百物語の事」）には、参加者が順番に怪談を語っていくと本物の「怪」が現れるという「百物語」のやり方が書かれています。


百物語には法式あり。月くらき夜。行灯に火を点じ。その行灯は青き紙にてはりたて百筋の灯心を点じ。ひとつの物語に灯心一筋づつ引とりぬれば。座中漸々暗くなり。青き紙の色うつろひて。何となく物すごくなり行也。それに話つづくれば。かならずあやしき事おそろしき事あらはるるとかや。

ここで挙げられているやり方は、以下の三点です。

・百物語は「月くらき夜」、すなわち新月の日に行う。
・青い紙を張った行灯を百基用意して火をともす
・一つの怪談が終わるごとに、一つずつ行灯のあかりを消していく。

これを繰り返していくことで、やがて怪異が起こるそうです。『伽婢子』では、実際にこの百物語を行った人たちが、話が「六七十」に及んだあたりで怪奇現象に巻き込まれ、うつぶせになって倒れていたとされます。

そして、この「怪を話ば怪至」は『伽婢子』最後の話なので、「此物語百条に満ずして。筆をここにとどむ」というオチがついています。『伽婢子』は全部で六十八話でできているため、ちょうどこの話が、このまま続けると怪奇現象が起こるかもしれないからそろそろやめないといけない頃になるという洒落になっているわけです。

この『伽婢子』は、もともと中国で唐の時代に書かれた瞿佑『剪灯新話』（実際に読まれたのはその注釈書で、朝鮮で書かれて日本で刊行されていた垂胡子（注解）・滄洲（訂正）『剪灯新話句解』）に収められているものなど、さまざまな怪異小説を日本向けにアレンジしたものでした。この「怪を話ば怪至」も、中国の唐の時代に柳宗元が編んだ『竜城録』に収められた「夜坐談鬼而怪至」という話を下敷きに作り直しています。

しかし、「百物語」という形式はもともとの話にはなく、日本で加えられた要素です。また、この「怪を話ば怪至」の物語では、百物語が旧暦の十二月（原文では「臘月」）に行われたとされています。しかし、怪談といえば夏ということで、夏に行われるイベントとして定着していくことになりました。

『伽婢子』を原文で読むのは大変ですが、高校である程度古文を学習していれば、比較的読みやすい文章なので、古文の学習になるかもしれません。文法を気にするよりも、まずは古文をそのまま読んで理解できるかどうか試してみましょう。

また、東洋文庫というシリーズで、現代語訳したものが刊行されています。少し古い本ですが、これなら図書館に所蔵されていることも多いので探してみてください。

百物語と文学史

こうした百物語は、江戸時代にイベントとして行われるようになり、明治時代の後半には小説家や文化人たちが集まって開催する形が流行するようになりました。

このあたりの事情については、**東雅夫『百物語の怪談史』**にまとめられていますが、この本は少し難しいので、**喜多崎親編『怪異を語る　伝承と創作のあいだで』**が図書館でみつかれば、そこに入っている東雅夫「百物語の歴史・形式・手法・可能性について」と、「日本『百物語』年表」とをあわせて見たほうがわかりやすいかもしれません。

この『怪異を語る』は、東雅夫さんと編者の喜多崎親さんの他、『**巷説百物語**』シリーズなどで知られる作家の**京極夏彦**さん、民俗学者の常光徹さん、英文学者の太田晋さんが集まって成城大学で行われたシンポジウムの様子を記した講演録ですが、怪談や妖怪といった怪異について知るためにとても興味深いトピックがいくつも示されていて、高校生くらいなら十分に読める内容になっています。

特に京極夏彦「語り手の『視点』という問題　怪異と怪談の発声：能楽・民話・自然主義をめぐって」では、「幽霊はいません」という前提に立って、それを能や歌舞伎、小説といった文化が、どのようにして「見える」形にしてきたのかを、「視点」という角度から説明しています。

ここでは、国語便覧や国語の教科書に出てくる作家たちがどのようにして小説を書いてきたのかが、京極さんなりの見方で示されています。特に、能や歌舞伎、小説で怪異を描くとはどういうことかを知ってから実際の作品を読んでみると、文学史がただ作家名や作品名を暗記するだけの無味乾燥なものではなくなっていくように思います。

現代の百物語

一方、実際に百物語をするのは、とても大変です。一話の持ち時間を五分としても一時間で十二話、九十九話までやるためには八時間十五分。午後八時に開始しても、終わるのは午前四時過ぎになってしまう計算です。

けれども本の形になったものを読むのであれば、時間を気にすることなく百物語に触れられるかもしれません。

百物語を題材にした小説は数多くありますが、その中で特におすすめしたいのが、**小野不由美『鬼談百景』**です。この本はまさに現代の百物語と言えるもので、九十九話の怪談が収められています。

地方都市のとある商業施設にある階段に作業服を着た幽霊が出るという「K怪談」。玄関のドアの向こうから殺されたはずの母親の友人がドアを叩いて叫ぶ声が聞こえるという「助けて」。高速道路で奇妙なタクシー運転手に遭遇する「トンネル」。

そして、怪談の舞台としてまず思いつく場所といえば学校です。

水泳の時間にプールのコース八つを使って四十人のタイムを計ったのに、どういうわけか一人余ってしまったという「第七コース」。けっして開かないはずの放送室から音が聞こえるという「開かずの放送室」。狐狗狸（コックリ）さんをしていたら不思議な現象が起こったという「教えてくれたもの」などの話は、きっと身近に感じながら読むことができるでしょう（あまり身近に感じたくないかもしれませんが……）。

怪談の作られ方

怪談はただ怖い話をしただけでは成立しません。京極夏彦さんが指摘していた「視点」や、『巷説百物語』の「巷説（こうせつ）」という言葉とも深く関わるのですが、この『鬼談百景』では、怪談に欠かすことのできない要素がしっかりと押さえられています。

たとえば、「テント」という話の冒頭部分を読んでみましょう。

これはNさんが友達から聞いた話だ。同級生のAくんという男の子が、夏休み、お父さんと二人でキャンプに行った。

二人はキャンプ場に着いてすぐ、テントを張った。それから石を積んで竈（かまど）を作っている父親に言われて、Aくんは薪を集めに林の中に入っていった。

この部分を読むだけでも、この話がとても複雑な作りになっていることがわかります。

まず、この『鬼談百景』という本は、もともと作者の小野不由美さんが、読者から手紙で寄せられた怪談をもとに作り直したものを集めているそうです。

また、小説の世界の中で、小説の地の文を書く人を「作者」と切り分けて「語り手」と呼ぶというのは、今では中学二年生の国語の教科書でも説明に使われていますね。具体的には、作家が小説の中に、自分自身とは違う人格としての「語り手」を設定して登場させるというイメージになります。これは、小説やマンガなどでストーリーを作るときの、もっとも基本的な考え方の一つです。

したがってこの怪談は、作者である小野不由美さんの分身と言える「語り手」が、「Nさん」という人から話を聞いているという形に書き換えられています。実際に読者から手紙をもらったのは小野不由美さん自身なのですが、「語り手」が聞いたという形に書き換えたところに、この怪談の創作としての要素が生まれているわけです。

けれどもその「Nさん」も、「友達」から話を聞いたことになっています。さらに、「テント」で怪奇現象を目にしたのは、「Nさん」の「友達」の「同級生のAくん」。

つまり、この怪談は、「同級生のAくん」が話した内容を「友達」が聞き、それが「Nさん」に伝わったのを「作者」である小野不由美さんが聞いたわけですが、それを「語り手」に語らせることでもともとの話とは違う、より怪談として形の整ったものに書き換えるという手続きを踏んでいます。完全に伝言ゲームの世界です。

怪談が生み出す恐怖感

どうしてわざわざ、こんなに複雑な書き方をしなければいけないのでしょうか。それはこの伝言ゲームのような手続きこそが、怪談を成立させる上でとても重要な要素になっているからです。

この「テント」という話は、「Aくん」が父親と二人でキャンプに行ったところ、薪になりそうな枯れ枝を集めているときに不気味な女性を目にするというものです。けれどもそれを父親に話すことができないでいたところ、夜になって、テントの外側をホウキで掃いているような、不思議な音を耳にします。怖くなって入口の隙間を覗いてみると、昼間みかけた女の人が、逆さまにぶら下がってニヤッと笑う……そこで「Aくん」は意識を失ってしまいました。数日後に「Aくん」は、キャンプ場で実は一人の女性が首を吊って亡くなっていたという話を耳にした、というオチになっています。

こういう怖い体験をした「Aくん」。でももしかしたら、これはAくんが見た夢かもしれません。そしてもしかしたら、「Aくん」の作り話かもしれません。

けれども、その話を聞いた「Nさん」の「友達」は怖いと思ったので、「Nさん」に話しています。また、「Nさん」もこの話に恐怖を感じたので、小野不由美さんに手紙を送ったのでしょう。

この場合、「Aくん」が体験したことは本当か嘘かわからないのですが、「Nさん」とその「友達」がこの話を聞いて感じた恐怖感だけは、少なくとも本物です。そして、作者である小野不由美さんが「語り手」を介してよりまとまった形で語らせることで、この恐怖感が、読者へと伝わっていくようになります。

そのとき、恐怖を感じた読者や聞き手にとっては、この話が嘘であるか本当であるかは、もう関係がありません。恐怖を感じたという事実。また、もしかしたら本当にこういうことが起こるかもしれない、私たちの日常にも同じようなことが起こるかもしれないと思ってしまうこと。こうした想像力こそが、怪談の恐怖を作っています。

京極夏彦さんの『巷説百物語』の「巷説（こうせつ）」も、同じように「巷（ちまた）」で流れている噂話という意味です。最初にご紹介した『日本現代怪異事典』に収められたものも、そのほとんどが同じように、噂話としての要素を持っています。

怪談はこのように、他の人から聞いた噂話がもしかしたら事実かもしれない、自分たちの日常にも同じことが起こるかもしれないという聞き手の想像力に基づいて生み出されていくものです。私たちの日常の中に不意に入り込んでくる不思議な現象と、それを聞いたときの恐怖感。日常の中に、もしかしたら本当に潜んでいるかもしれない闇の世界。

そういう意味で怪談の怖さは、いわゆるホラー映画やホラー小説、お化け屋敷のような怖さとは、少し違っています。そこで描かれる非日常的な、次々に襲いかかってくる怖さではなく、日常の中にひっそりと潜んでいる恐怖感。それを受け入れることが、怪談の楽しみ方の一つだと言えるでしょう。

2時間目 理科(生物)
世界を観察する

紹介した本

『ファーブルの昆虫記』
大岡信(訳)
岩波書店(岩波少年文庫)、二〇〇〇年。他多数

『バッタを倒しにアフリカへ』
前野ウルド浩太郎
光文社(光文社新書)、二〇一七年

『マンボウのひみつ』
澤井悦郎
岩波書店(岩波ジュニア新書)、二〇一七年

「生物が記録する科学 バイオロギングの可能性」、『国語2』
佐藤克文
光村図書、二〇一六年

『ペンギン・ハイウェイ』
森見登美彦
KADOKAWA(角川文庫)、文庫版は二〇一二年

マンボウのひみつ
澤井悦郎
バッタを倒しにアフリカへ
前野 ウルド 浩太郎

ペンギン・ハイウェイ
森見登美彦

バッタ博士の憂鬱

昆虫に関する本というとまず思い浮かぶのは、**『ファーブル昆虫記』**。小学生のときに読んだという人も多いと思います。

一方で、日本ほど昆虫好きが多いというのは世界的に見ても珍しいことで、どちらかというと昆虫は、穀物などに被害を与える害虫としてのイメージのほうが強いのだそうです。

そんな中、バッタについて研究し、西アフリカにあるモーリタニアという国に渡った若い研究者が、自身の奮闘ぶりを書いているのが、**前野ウルド浩太郎『バッタを倒しにアフリカへ』**です。

著者自身がバッタの恰好をした表紙カバーは非常にインパクトがあるので、書店や図書館でみかけたのを覚えている人も多いでしょう。非常に話題になった本ですが、たしかに新書版の本、しかもルポルタージュで、これほど面白いものを読んだのは久しぶりのように思います。

前野さんが昆虫学者を目指すきっかけになったのも、『ファーブル昆虫記』だそうです。けれども小学生のとき、科学雑誌でバッタの大群に巻き込まれた女性観光客が緑色の服を食べられてしまったという記事を読み、「バッタに食べられたい」という夢を抱くことに。この時点で、すでに意味がわかりません。

しかも、毎日のようにバッタに触り続けたために、バッタに触ると体がかゆくなるバッタアレルギーに。バッタ研究者としては、どう考えても致命的です。

それでも昆虫学者を目指して努力を続けますが、日本ではバッタ研究の需要がありませんでした。バッタ研究が必要とされるのはバッタの被害に遭っている土地であり、日本ではそういうことが起こらないからです。

バッタ博士になるだけでは収入が得られないので、生活をし、研究を続けられる昆虫学者になるためには、それでも研究を理解してバッタ博士を雇ってくれる大学や研究機関を探して就職し、給料をもらわなくてはいけません。けれども大学や研究機関に就職をするためには、学術論文を発表し続ける必要があります。それなのに、まだ就職できていないので、研究費は入ってこない。だから、研究がなかなか進まない。

こうした状況は、今の博士、研究者と呼ばれる人たちのあいだで、非常によく起こっていることです。

仮説から観察・実験・データ収集へ

そんな前野さんは、昆虫学者になる夢をかなえ、しかもアフリカの人々をバッタ被害から救うという二つの目標を達成するために、一つの賭けに出ました。それが、バッタの大群による被害に遭っているモーリタニアに行くことだったそうです。

けれども、モーリタニアでの研究は、困難の連続。

捕まえたバッタを入れておくはずだった飼育ケージ（檻）は海からの潮風でダメになり、子どもたちにお金をあげてバッタを捕まえようとしたところ大混乱に。バッタ発生のガセネタに振り回され、限られた研究費から現地のドライバーとして雇ったティジャニさんはこっそりと一人で二人分の給料を要求し、研究をするためには出現してもらわないといけない肝心のバッタの大群は一向に現れません。そのうち、とうとう前野さんは無収入に陥ってしまいます。

このように紹介すると、現代の研究者がどれだけ大変かということを書いた本のように思われるかもしれません（実際、そういう側面も少なからずある本なのですが）。けれども、このように追い込まれて必死になっている状況を、前野さんがむしろユーモラスな語り口で書いているところが、この本の魅力の一つになっています。

一方で、この本のいちばんの面白さは、やはり、前野さんがモーリタニアの生活を書いていく中でときどき見せる、科学者としてのものの見方にあると思います。

研究とは、単に自分はこういうこと考えているのだという主張を展開するだけのものではありません。

誰も調べたことがない未知の領域や、主観や思い込み、ごく狭い範囲から集められた情報によって語られて信じられていること、異なるデータの取り方で導かれた先行研究に対して、新たな問題を探し、テーマを設定し、新しいデータをとり、そこからより現実に近い事実を導きだしていこうとする営みです。

仮説を作り、その仮説を証明するための実験設備を作り、周囲の状況を考えて実験計画を立て、それにしたがって対象を観察する。実験を繰り返しながら観察によって集めていったデータをまとめて整理し、研究の全体像をデザインして論文としてまとめていく。分野や、文系や理系といった枠組みを問わず、研究はこうした地味な作業を何度も繰り返していくことでできあがっていきます。

たとえば、私自身は日本の明治文学が専門ですが、研究の進め方としては基本的に同じものになります。ただ、仮説を立てた後の「実験」の方法が違っていて、図書館にこもったり本を買ったりして、過去に書かれた文献を無数に調べていくという作業を行うことが、研究データを収集していくことになるわけです。

また、もう一つ前野さんの研究の特徴として、実験室を飛び出し、未知の世界に足を踏み出したことが挙げられます。

手元で得られるデータだけでも論文は書けますが、前野さんは「生物を研究する本来の目的は自然を理解するため」だという原則にしたがおうという発想から、研究成果が得られるかどうかも定かでないアフリカでの野外観察に出ています。このように、どんなに大変な状況にあっても、科学にとっていちばん大切なことは何かという視点を見失わなかったことが、前野さんが持っている世界の見方を、とても魅力的なものにしているのだと思います。

マンボウ博士の研究

昆虫ではなく海の生物になりますが、若手の生物研究者がもう少し具体的な研究の進め方と内容について詳しく書いているのが、**澤井悦郎『マンボウのひみつ』**です。

「はじめに」に「I〜II章は専門的な言葉も多いので、もし難しいと感じたら、III章から読んでみてください」とあるのですが、Ⅲ章は前野さんの本の後で読むと、重なる部分も多いと思います。今の若手研究者は安定した職を得るまでが本当に大変なので、研究書ではなく一般向けの本を書くとなると、どうしてもこの部分に触れたくなるのでしょう。

むしろ、中高生のみなさんが読みやすいのは、Ⅳ章の「バイオロギングが暴く生態の謎」でしょうか。というのも、光村図書が発行している中学二年生向けの国語教科書『国語2』に**佐藤克文「生物が記録する科学　バイオロギングの可能性」**が掲載されているので、多くの人が中学生のときにバイオロギングという研究方法に触れているからです。

バイオロギングとは、生き物に機器を取り付け、その生き物がどこで、どのように動いたのかを計測したデータによって生態を明らかにしようとする研究方法です。教科書に載っている「生物が記録する科学」ではペンギンに機器をつけていましたが、同じ方法は生き物であれば人間も含めたあらゆる研究対象で採用することができ、それをマンボウで行う可能性について触れています。

その上で澤井さんが特に述べているのが、マンボウは「鰾（うきぶくろ）がないのにどうやって浮力を得ているのか？」「尾鰭（おびれ）がないのにどうやって泳いでいるのか」「遊泳スピードはどのくらいか？」といったように、目の前にある対象に対して疑問を持つことの大切さです。

たとえばマンボウはゆっくり海を漂うように泳いでいるというイメージがありますが、国立極地研究所の渡辺佑基さんの研究によると、実際の平均遊泳スピードは時速2.2キロ。これは、魚類の中でも比較的早いほうの部類に属します。しかも最高では時速八キロ以上出したマンボウもおり、これは人間の競泳選手と同じくらいの早さになるそうです。

また澤井さんは、マンボウについてインターネット上で広まった「寄生虫を落とすためのジャンプの着水の衝撃で死ぬ」、「ほぼ直線でしか泳げない」ために「岩に激突死」する、「仲間が死亡したショックで死亡」するといった情報がデマであることについて述べています。研究にとっていちばん大切なことは、観察や実験によって得られた事実に基づいて、物事を考えることなのです。

世界を観察する小説

これまで紹介してきた本で触れられているような科学的なものの見方、考え方を、非常によく小説の中に取り込んだ作品が、**森見登美彦『ペンギン・ハイウェイ』**です。

主人公は、毎日たくさんの本を読んで、身の回りにあるたくさんのことを観察し、それをノートに書いて記録している小学四年生の「ぼく」(アオヤマ君)。

ある日、アオヤマ君が住んでいる街に、突然ペンギンが現れるという不思議な現象が起こります。どうやらそのペンギンの発生には、アオヤマ君が憧れている歯科医院の「お姉さん」が持っているペンギンを生み出す不思議な力が関わっているだけでなく、クラスメートの女の子・ハマモトさんが森の奥にある草原のような場所で観察を続けている〈海〉という水のような奇妙な物体とも関係しているようです。

そこでアオヤマ君は、ハマモトさんや、友達のウチダ君、お姉さんとともに、この街で起きているさまざまな現象について「研究」を進めていきます。そのうち、これらの現象が起こっている原因が明らかになって……。

このように、小学生のアオヤマ君の視点から身の回りの世界で起きているさまざまな現象が観察されていくことで、その中に潜んでいる秘密が明らかになっていくというストーリーです。

お姉さんはなぜペンギンを出すことができるのか。

ペンギンたちと〈海〉にはどういう関係があるのか。

〈海〉とはいったい何なのか。

なぜ、遺伝子によって決められたお姉さんの顔と、お姉さんのおっぱいに「ぼく」は惹かれるのか。

アオヤマ君は周囲にあるさまざまなことについて数多くの疑問を持ち、それに対して仮説を立て、観察をしてデータをとり、ノートに記録し、自分自身を取り巻いている世界そのものに触れていくことになります。

もちろん、街にペンギンが現れたり、そのペンギンたちをお姉さんが出したりすることができるという部分は、あくまでファンタジーとして作られています。けれども、子どもの視点で考えてみれば、世界はあまりにも不思議な現象やモノであふれているのです。

一人の小学生がそうした未知の世界に触れてしまう瞬間。このときの驚きや期待感、発見、衝撃、感動は、誰でも子どものときに持っていたものでしょう。この小説では、そうした未知の領域をファンタジーに置き換えることで、子どものときに持っていたはずの未知の世界を、読者が追体験できるように書かれています。

そして、目の前で起こった出来事に疑問を持つこと。それを観察し、仮説を立て、検証すること。そうした、私たちが世界を見るときに必要なものの見方、考え方を、この小説は思い出させてくれます。

最後に、この作品のラストシーンでアオヤマ君は、大人になるまでのあいだに「世界の果て」へと続く「ペンギン・ハイウェイ」をたどっていくことを決意するのですが、一つだけ、アニメーション映画と小説とで、決定的に違っていることがあります。

ネタバレになってしまうので詳しくは触れませんが、なぜそこが違っているのかを考えると、アニメーションやマンガ、実写映画といった図像・映像で作られている作品を見ることと、文章で書かれた小説で読むこととのあいだにある、とても大きな違いが見えてくるように思います。

　劇場版アニメーションの『ペンギン・ハイウェイ』は、ここ数年のアニメーション映画の中でも、傑作の一つだと思います。この作品はぜひ、小説と映画版とを合わせて見てください。

2日目

3時間目　倫理／道徳
「大人になる」ってどういうこと？

紹介した本

『大学生活マネジメント・ブック』
小林実（監修）
旺文社、二〇一五年

『友だち幻想　人と人の〈つながり〉を考える』
菅野仁
筑摩書房〔ちくまプリマー新書〕、二〇〇八年

『おとなになるってどんなこと？』
よしもとばなな
筑摩書房〔ちくまプリマー新書〕、二〇一五年

『大人になるっておもしろい？』
清水真砂子
岩波書店〔岩波ジュニア新書〕、二〇一五年

『スガンさんのやぎ』
ドーデー作・きしだえりこ訳
偕成社、一九六六年

『思い出の青い丘』
ローズマリ・サトクリフ・猪熊葉子訳
岩波書店、一九八五年

大学生活 +2選書

大学生活
マネジメント・ブック

旺文社 編

小林実 監修

旺文社

大人になるって
おもしろい?

清水真砂子 著

岩波ジュニア新書

おとなになるって
どんなこと?

吉本ばなな Yoshimoto Banana

ちくまプリマー新書 238

友だち幻想
人と人の〈つながり〉を考える

菅野仁 Kanno Hitoshi

ちくまプリマー新書

大学で勉強するということ

高校生のみなさんの中には、この先の進路についてアンケートを記入する必要があったり、受験勉強を始めるように言われたりしている人も多いかもしれません。

でも、いきなり大学を選べと言われても、困ってしまいますよね。

大学での勉強と高校までの勉強は大きく違いますし、〇〇学部と言われても、どんなことを勉強するのか、なかなか想像がつきません。

一方で、今は大学・短期大学への進学率がおよそ六割になっています。たとえば、みなさんのお父さん、お母さんの世代は三〇％台半ばくらいでした。大学や短期大学に行かない人のほうが、多かったのです。大学進学率はこれからもあがっていくと思いますので、同じような悩みにぶつかる人も多いと思います。

また、大学に合格が決まって、新しい生活に不安になっている人もいるでしょう。高校と大学は違うと言われても、いったいどういうふうに違っているのかは、なかなかわかりません。

そういう人に手に取って頂きたいのが、**小林実**（監修）『**大学生活マネジメント・ブック**』です。

この本では、大学での授業や教員との関係、アルバイト、クラブ・サークル活動、留学、学生生活に必要なお金、さらには就職活動についてまで、大学生活の全体に関わることがとてもコンパクトな形にまとめられています。

大学一年生の「基礎ゼミ」「基礎演習」「初年次ゼミ」などの授業（大学によって名前は違いますが、今はほとんどのところで必修になっている授業です）で使うために書かれた本なので、入学した後で教科書として買うことになる人もいるかもしれませんが、今のうちに自分で手に取ってみたり、高校の学校図書館に一冊入れて頂いたりすると、高校生にも大学生活がイメージしやすくなるのではないかと思います。

この本で最初に強調されているのが、「高校までは、「人（先生）から教わる」立場だったものが、大学では「自ら学ぶ」という能動的立場に変わる」ということです。

スケジュールや時間割をすべて自分で管理しなくてはいけないことはもちろん、何かトラブルや困ったことが起きた場合にも、最終的にはそれを自分で解決しなくてはいけません。そのときに自分なりに状況をとらえ、考え、判断することが、大学生活を通じて「大人になる」ということなのだと思います。

「大人になる」ってどういうこと？

けれども、この「大人になる」ということは、大学生活に限って求められているわけではありません。中学生のとき、高校生のときと、それぞれの段階に応じていろいろな場面で直面することだと思います。

一方で、それではこういうふうに書いている私自身が本当に大人になったのかと言われると、自信を持ってそう言える気はしません。

たしかに十代から二十代にかけての頃に比べれば、物事に対する考え方が少しずつ変わっています。何か問題が起きたときに対応する方法も、より多くの選択肢の中から考えられるようになりました。けれども、十代や二十代のときの自分とやはりどこかでつながる部分もあります。

子どもがいたりすると、また違うのかもしれません。それでも、研究や教育、小説を書く仕事をしていると、私だけでなく周囲にいる人たちも、子どものように何か一つのことにのめり込んで調べものをしたり、学生と一緒になって遊んだりすることもあります。その意味で、研究者や作家、教育の仕事に就いている人は、ある意味で子どもっぽい部分が必要なのかもしれません。

それでは、「大人になる」というのは、どういうことなのでしょうか？

どうすれば私たちは、「大人になる」ことができるのでしょうか？

このテーマはそれぞれの人によっていろいろ考え方があり、そう簡単に答えが出ない問題だと思います。

その中で、「大人になる」という問題について重要な部分に触れている本が、**菅野仁『友だち幻想　人と人の〈つながり〉を考える』**です。

発売から十年も経った本ですが、作家でお笑い芸人の又吉直樹さんがテレビ番組で紹介してから再注目されるようになり、図書館に置いてあることも多いと思います。

この本の内容は、現代社会での「人と人とのつながり」について、正面から考え直してみようという試みです。

私たちは知らず知らずのうちに、「人と人とのつながり」はこうであるべきだ（はずだ）という思い込みにとらわれているのではないか。これが、議論のスタートになります。

たとえば、SNSなどで「友だち」からメッセージが届いたとき（本文では、「メール」になっていますが、現代に置き換えて読むとわかりやすいと思います）。「既読」がついたかどうか、相手が返信してくれるかどうか、とても不安になりますね。けれども返事が来た瞬間、今度はこちらがすぐに既読をつけたり、返信したりしなければいけないという不安が生じます。つまり、ＬＩＮＥをやりとりしているあいだは、お互いどうしが、常に不安な状態でいなければいけないことになります。

本当は幸せになるための「友だち」や「親しさ」のはずなのに、その存在が逆に自分を息苦しくしたり、相手も息苦しくなったりするような、妙な関係が生まれてしまうことがあるのです。

菅野さんはこのように指摘し、「『不安』の相互性」から生じるものを、「同調圧力」と位置づけています。

この他にも、「クラスはみんな仲良く」しなければいけない、「みんな同じ」でなければいけない（同質的共同性）など、学校生活や現代の日本社会の中にはさまざまな「圧力」があり、なんとなく守らなければいけない「ルール」としてその力は働いていると指摘します。こうした「人と人とのつながり」について、菅野さんは、これらが昔ながらの日本の「ムラ社会」から続くものであり、こうでなければならないという「思い込み」が、私たちの生活を難しくしていると考えているのです。

都市化が進んだ現代では、すでにこうした昔ながらの「つながり」のあり方が、通用しなくなっています。そのため、「異なるものが同時に存在する」社会であることを認め、こうした「ルール」から外れてしまう「気の合わない人と一緒にいる作法（並存性）」を考えていくことが必要になってくるというのが、本のいちばん中心となる論旨です。

この本ではこの他にも、「ルール」と「自由」との関係、「家族」や「恋愛」をどう考えるかなど、「人と人とのつながり」についていろいろな角度から考えています。

それらの議論を通じて、菅野さんは「大人になるということ」を、「人間関係の引き受け方の成熟度」だと規定します。これは、他者とうまく折り合いをつけながら、自分とは異なる「他者」と同じ社会に生きていく方法と言えるでしょうか。

また、「大人になる」というテーマだけでなく、より大きな「人間関係」というテーマについて、とても面白い視点で考えられています。中高生のみなさんにとっては、いろいろなことを考えるきっかけになる本だと思います。

子どもであることを認める

菅野さんとは違った角度から、「大人になる」ことについて考えているのが、**よしもとばな**

な『おとなになるってどんなこと？』です。

　この本は、「おとなになるってどんなこと？」の他、「勉強しなくちゃダメ？」「友だちって何？」「普通ってどういうこと？」「死んだらどうなるんだろう？」「年をとるのはいいこと？」「生きることに意味があるの？」「がんばるって何？」という八つのテーマを、著者であるよしもとばななさんが、自身の体験を通して考えているものです。

　タイトルにもなっている「第一問　おとなになるってどんなこと？」では、「大人になんかならなくっていい、ただ自分になっていってください」という、タイトルそのものを否定するような前提が「まえがき」に書かれています。一見、「おとなになる」というテーマと矛盾しているようにも見えますが、その言葉の意味は実際に読み進めていくことでわかります。

　具体的には、よしもとばななさんが中学生の頃に母親の親友から英語を習っていたときのエピソードや、父親で詩人・評論家の吉本隆明が亡くなったときのエピソードを通じて、「自分の中にいる泣き叫んでいる子どもを認めてあげること」、「子どもの自分をちゃんと抱えながら、大人を生きるということ」が、「大人になる」ことだという考えにたどり着きます。

　どんなに大人になっても実は子どもの頃から変わらない部分があり、そういう子ども時代から作られた部分があることを受け入れて、その感覚を大切にすることが、「大人になる」ことなのではないか。これが、よしもとばななさんの考え方です。

この他のテーマについても、この本ではそれぞれのテーマについて、読者も著者と一緒に向き合い、考えながら読むことができるようになっています。

また、特に巻末に収められているインタビューでは、夢を持つこと、将来なりたい自分を探すことについて、とても重要な視点が書かれています。

学校生活の中には、どうしてこんなことをしなければいけないんだろう？　と、思うことがときどきあると思います。そうした疑問を感じたときにも、ぜひ手に取って頂きたい一冊です。

読書を広げる

同じ「大人になる」というテーマで書かれた新書からもう一冊。**清水真砂子『大人になるっておもしろい？』**をご紹介したいと思います。

この本でも、「大人になる」ということをめぐって、『かわいい』を疑ってみない？」「ひとりでいるっていけないこと？」「ルールとモラルがぶつかったら」など、十三のテーマで書かれています。

一方で、よしもとばななさんの本との違いは、著者の体験をもとにしているというだけでなく、児童文学者でもある著者が読んださまざまな本に書かれているをもとにして、考えが進められている点です。

たとえば「第9信　生意気っていけないこと?」では、ドーデー作・きしだえりこ訳**『スガンさんのやぎ』**や、ローズマリ・サトクリフ・猪熊葉子訳**『思い出の青い丘』**の内容を通じて、若い人たちに「生意気」であってほしいというテーマについて考えています。

大人の言うことに逆らったり、疑問を呈したりすると、大人たちから「生意気」だと思われます。けれども清水さんは、むしろそうして「生意気」になり、自分の考えをぶつけるために背伸びをし、大風呂敷を広げてでも大人たちに反論して、自分の意見を伝えることが必要だと言います。

一方で若い人たちは、なかなか「生意気」になることができません。自分の考えを述べることは、間違えたり、過ちをおかすこともあるかもしれず、それは誰にとってもとても怖ろしいことだからです。

そんな若い人たちに、清水さんはローズマリ・サトクリフの言葉を頼りに、正面から、けれどもとても温かく向き合っています。

どういうことばがあれば、彼らの背を押してやれるかを考えるうちに（——だって、「間違えたって大丈夫」くらいでは、人は動けません。誰だってこわいのですから——）間違うことを、さらには——

ここまで言うのはそれこそちょっとこわいのですが、でも、――過ちをおかすこともまた、人が生きていくための権利ととらえなくては、と考えるようになったのです。でも、「傷つく権利」には考えが及んでいませんでした。

こうして、ローズマリ・サトクリフの言葉から得た、若い人には「傷つく権利」があるという考え方に立てば、若い人たちが我慢することなく、もっと自由にものを考え、表現することができると言います。また、こうして「生意気」であるために「傷つく」ことがあったときに初めて、自分の力の至らないところに気付き、謙虚になることができる。そのためには、むしろ「傷つく」ことを積極的に認めていかなくてはいけないというのが、清水さんの考え方です。

この他の章でも、著者の清水さんはさまざまな本を読むことを頼りに、考えを深めています。それはときに絵本であったり、小説であったり、あるいは映画であることもあります。こうして一つのテーマに関係するさまざまな作品に触れることが、そのテーマについて考えていく上で、もっとも重要であることを教えてくれているように思います。

4時間目 現代社会
近くて、知らない場所

紹介した本

『あなたとともに知る台湾』
胎中千鶴
清水書院〔歴史総合パートナーズ⑥〕、二〇一九年

『真ん中の子どもたち』
温又柔
集英社、二〇一七年

『流（りゅう）』
東山彰良
講談社〔講談社文庫〕、文庫版は二〇一七年

『ビー・バップ・ハイスクール』
きうちかずひろ
講談社〔ヤングマガジンコミックス〕、一九八三〜二〇〇三年

『ろくでなしBLUES』
森田まさのり
集英社〔集英社ジャンプコミックス〕、一九八九〜九七年、集英社文庫版は二〇〇三年

『東京卍リベンジャーズ』
和久井健
講談社〔週刊少年マガジンコミックス〕、二〇一七年〜

東山彰良
流
りゅう
講談社文庫

温又柔
Wen Yuju
真ん中の子どもたち
集英社

歴史総合パートナーズ 6
あなたとともに知る台湾
胎中 千鶴
Tainaka Chizuru
SHIMIZUSHOIN

海外旅行のすすめ

かつての大学生は今よりも金銭的にも時間的にも余裕があったので、アルバイトをして貯めたお金で長期の休みになると海外に出掛けるということもよくあったようです。

今でも大学生に対してそういうイメージが持たれることが少なくないのですが、最近の学生は授業期間中の出席はかなり厳しくとるようになっていますし、その中で限られた時間にアルバイトをしても、そこで得たお金は生活費になってしまうことも多いので、なかなか簡単に旅行することができません。大学生は遊んでばかりいると思われがちですが、それは二十年以上も昔に作られた大学のイメージが、上の世代の大人たちのあいだでいまだに更新されずに残っているもののように思います。

一方で、社会人になってしまうと、長期の休みを取ることが難しくなることも事実です。そのため大学で教えていると、できれば大学生のうちに一度で良いから、海外に、できればツアーではなく個人旅行で行ってほしいといつも思っています。

飛行機やホテル、移動手段を手配して、自分の行動スケジュールを組むという経験を積むことはもちろんですし、外国語を話さないと生きていけない環境に身を投じること、語学ができないと生活できない状況に自分を追い込むことは、外国語の勉強を始める上で何よりのきっかけになります。また、訪れた場所がどういう場所だったのか、少しでも気になることがあれば調べてみることで、文化や歴史について自分から学ぶという機会が得られるように思います。

けれども、始めての個人海外旅行でいきなりヨーロッパやアメリカに行くというのは、やはりハードルが高いようです。知らない土地、しかも言葉があまり通じない場所に行くのはどうしてもためらわれますし、海外で事件が起こると日本にニュースとして入ってきます。実際にそうした事故に遭うのは現地に滞在している方や旅行者の中でも一部なのですが、報道されるときはそうした部分がどうしても表に出てきてしまうので、そのために海外は怖いというイメージを持っている学生も少なくありません。

そうしたみなさんに、私は、最初の肩ならしとして、まずは近めの国や地域に行ってみることをすすめています。アジア圏であれば金銭的にも比較的行きやすいですし、たとえば英語圏に行くよりも英語が聞き取りやすく、通じやすいことが多いように思います。これは、英語圏ではどうしても現地の方がこちらも英語ができる前提で話してしまうのですが、英語のネイティブでないどうしであれば、お互いにがんばってコミュニケーションをとろうとするので、自然と話し方がゆっくりになり、文法的にも話し言葉のように崩さず、正確に話そうとするためです。こういう言葉を使うと、その分だけ英語が「通じる」ことが多くなります。

実際のデータを見てみると、日本人の海外渡航先としていちばん多いのが韓国。次が台湾、香港、マカオ、タイ……と続いています。

特に台湾は、旅費の面で比較的渡航しやすい上に治安も良く、観光のしやすさや食事の面でいろいろ楽しむことができるので、最初の海外旅行先として学生にいちばんすすめやすい場所の一つです。

けれども、台湾というところがいったいどういう場所なのか、どのような歴史があり、なぜ「親日」というイメージで語られることが多いのかについて、知っている大学生はあまりいないようです。おそらく中高生にとって、台湾という土地はもっとわかりにくい場所なのかもしれません。

そこで今回は、台湾について知ったり、考えたりできる本を紹介していきたいと思います。

「親日」ではなく「知日」

まずは台湾の文化や歴史についての基本的な情報から。これがとてもわかりやすく書かれているのが、**胎中千鶴**（たいなか）**『あなたとともに知る台湾』**です。

話題の中心は、台湾が日本の植民地となった一八八〇年代から、植民地時代が終わる第二次世界大戦後、そして現代までにいたる、台湾の歴史についてです。けれどもそれだけでなく、現代の台湾が置かれている状況と中国との関係、なぜ東日本大震災のときに台湾から多額の義捐（ぎえん）金が寄せられたのか、台湾がこれからどういう社会を作っていこうとしているのかなどが、とてもコンパクトにまとめられています。

この本で書かれている特に重要な視点は、新聞やテレビ、インターネットなどでときどき見られる台湾が「親日」的だという考え方や、日本が植民地として支配していた時代に鉄道や道路、学校などを整備したことに台湾の人たちが「感謝」しているという考え方に対して、少し立ち止まって考えようとしているところです。

一方、１９９０年代後半以降の日本では、日本語世代と哈日族（ハーリージュー）、さらに知日派もひとくくりにして「親日」ととらえる傾向がありました。あたかも日本統治期から戦後、そして現在にいたるまで、台湾人がみんな常に「親日」であったかのような見方です。

「日本語世代」とは、台湾が日本の植民地だった時代に教育を受け、日本語を話すことを学んだ人たちです。これに対して「哈日族」は、特に一九九〇年代にハローキティのようなキャラクターや日本のマンガなどに親しむようになり、日本語や日本文化に興味を持って勉強するようになった人たちのことを言います。また「知日」とは、台湾にいる日本学の研究者をはじめとした、日本に詳しい人たちのことを指しています。

植民地時代に台湾の人たちが日本語を学んだのは、必要に迫られたことであり、特に第二次世界大戦中は「皇民化政策」によって強制的に学ぶことになっていました。台湾に産まれ、そこに住んでいる人間としてのアイデンティティを捨てさせ、台湾の人々を「日本人」と同じにしようとしていた政策です。

そうした教育を受けていた人たちを単純に「親日」と言えないことはもちろんですが、「哈日族」にも同じようなことが言えます。

たとえば、マンガやアニメーションを例に考えてみましょう。

外国人が日本のマンガやアニメーションの作品が好きだと言うと、どうしても私たちは、それならきっと「日本」のことも好きなのだろうと考えてしまいます。けれども、マンガやアニメーションの作品が好きなことや、そこに出てくるキャラクターが好きなこと、あるいは作者が好きであることと、「日本」という国家やそこにある文化全般が好きであることはまったく違います。マンガやアニメーションはあくまで日本文化にある一つの要素であって、それ以外の領域に興味を持っているのかどうかはわかりません。

一方で、日本のマンガやアニメーションを理解しようとすると、日本語を勉強したいと思いますし、日本語について勉強するためには、マンガやアニメーション以外のさまざまな日本の文化についても勉強する必要が出てきます。そこから、大学や大学院で日本について学ぶ人も数多くいます。私自身も日本文学の研究をしているので、台湾や中国、韓国をはじめ、それ以外のさまざまな国に日本研究者の知り合いがいますし、その中には日本のマンガやアニメーションから日本文化を勉強するようになった人も少なからずいます。その意味で、マンガやアニメーションが、日本について知るための入口になっていることはたしかです。

けれども、だからといってそういった人たちが「親日」かというと、そういうことはありません。むしろ、こういう人たちは、「知日」というべきでしょう。そうした「知日」の人々でも、日本のある部分の文化や風習、人間関係の作り方がどうしても受け入れられない人もいますし、日本の政治体制について批判的な人ももちろんいます。「何か」が「好き」であること、「何か」に対して興味を持つことは、必ずしもその「何か」に関わる全体には波及しないのです。

もちろんこのことは、私たちにも言えます。

たとえば私は最近、中国茶にハマっていたり、仕事のために日本で言うライトノベルに当たる中国のネット小説について調べていたりするのですが、だからといって国家としての中国という「国」が「好き」かどうかというと、それはまったく別の問題になります。

異文化に興味を持つ、異文化のことを「好き」になるというときには、歴史的な経緯や社会状況を含め、さまざまな要素が複雑に関係してきます。異文化について知れば知るほど、逆にどうしてもわからないことや、受け入れられないことも出てきます。

けれども、胎中さんもこの本の中で強調していますが、そうした中で異文化をいろいろな角度から知ろうとすること、お互いに理解できない部分を含みながらも、その中で相手を尊重し、対話を続けることが重要なのだと思います。

この『あなたとともに知る台湾』が入っている清水書院の「歴史総合パートナーズ」というシリーズは、二〇二二年度から高校で新しく始まる科目「歴史総合」の参考書として刊行が続けられています。胎中さんの本以外にも、中高生でもわかりやすく読めていろいろなことが考えられるとても良い本が揃っているので、図書館などでみかけたらぜひ手に取ってみてください。

二つの国のあいだで

台湾と日本とは、歴史的にも文化的もいろいろなつながりを持ってきています。そのような中で、これら二つの地域のあいだに立って生きていくということをテーマとして小説を書き続けている作家が、温又柔（おんゆうじゅう）さんです。

温又柔さん自身も、三歳のときに家族と一緒に台湾から日本に移り住み、中国語（台湾語）、日本語を浴びながら生活してきた方です。同じように複数の言葉や国家、地域に挟まれた主人公が、自分自身とはいったいどういう存在なのかについて考えていく物語を描いたのが、**温又柔『真ん中の子どもたち』**です。

主人公の天原琴子（私、ミーミー）は、日本人の父親と台湾出身の母親のあいだに産まれ、日本国籍を持っている女性です。温又柔さんとは少し違う境遇ですが、やはり複数の言葉の中で生きてきた主人公です。

> 父につられたのか、舅舅も、日本人、rì běn rén、と言う代わりに、外國人、wài guó rén、と言っていた。母にとっては日本が「外國（wàiguó）」だけれど、台湾にいると父は「外國人（wàiguó rén）」と呼ばれる。中国語で交わされるおとなたちの会話を聞きながら、私にとっては日本も台湾も「外国」ではないのに、とふしぎな思いをしたことがあった……

琴子が子どもの頃を回想している部分です。「舅舅」とは、琴子の母親の兄に当たる伯父のことで、父親にとっては義理の兄に当たります。

彼女の父親は台湾で義理の兄と話しているとき、自分が日本人であるにもかかわらず、日本人のことを中国語で「外國人、wài guó rén、」と話していました。台湾の人たちの立場に、あわせて発言したわけです。一方で、台湾で生まれた母親は、当時はまだ日本国籍を持っていなかったので、ふだん住んでいる日本は「外国(wàiguó)」でした。

けれども二人の子どもである琴子にとっては、日本も台湾も、自分の中であたりまえのように共存するものであり、二つの境界を感じていません。そのため、こうした大人たちの会話に、「ふしぎな思い」をすることになります。

このような国家についての感覚を持っている琴子は、上海に留学して母親の母語である中国語（中国の公用語としての北京語）を勉強することになり、父親が台湾人で母親が日本人で台湾国籍を持つ呉嘉玲や、両親ともに日本国籍を持つものの元中国人である龍舜哉といった、さまざまなバックグラウンドを持つ友人たちと出会います。

特に琴子と呉嘉玲との関係では、作品の舞台が二〇〇〇年に設定されていることから、一九八四年までの日本の国籍法では、父親が日本人でなければ日本国籍を持つことができなかった（つまり、母親が日本人でも「日本人」にはなれなかった）ということも関わっています。

こうした人物の配置には、この作品の重要なテーマの一つがあるように思います。

日本に生まれ、日本人の両親を持ち、日本語を話す生活をしていると、どうしても私たちは自分が住んでいる国家と、そこで話されている言葉を結び付てしまいます。日本に住んでいるのであれば当然日本人であり、日本人であるならば当然日本語を話すはずだ、という考え方です。

けれども私たちが生きている現実は、そう簡単なものではありません。国際結婚をした両親を持っている場合はもちろん、もともと外国籍を持っていて日本に帰化し「日本人になった」人もいます。また、一九四五年まで日本の植民地だった台湾、韓国をはじめとした地域から今の日本に当たる場所に移り住んだ人たちは、両親が話している母語も日本語が使える人が多くいますが、国籍をもとのままにしていたり、日本に帰化している人がいたりと、人によってさまざまな状況があります。

それから、たとえば最近、コンビニエンスストアの店員の方に、東南アジア系の人たちが増えたような気はしませんか?

現在の日本では、労働力として非常に多くの外国人を受け入れています。こうして日本に来ている外国人の方の中には、そのまま日本人と恋愛をしたり、結婚をしたりする人も、今まで以上に多く出てくるでしょう。そのため、この作品で描かれたようなテーマは、これから私たちにとってますます身近なものになっていくように思います。この小説では、このようにさまざまな国家や地域にまたがって生きる人たちが直面するさまざまな問題を、とても丁寧に描いています。

そんな中、琴子は留学先の上海で、一つの問題にぶつかります。

琴子は子どもの頃から台湾で話されている中国語を浴びているので、それなりに中国語を話すことができ、先生から授業で褒められました。けれども、彼女が話す中国語は「南方訛り」がある「台湾語」であり、中国で「普通語」と言われている「中国語」である「北京語」とは、発音が異なっていました。そのため、今度はどうして「普通語」が話せないのかと、中国人の先生や学生から問われることになるのです。

この「中国語」と「台湾語」の関係は、少しわかりにくいかもしれません。台湾で話される言葉は現地で「台語（tâi yu）」と呼ばれるものです。たとえば「中国語」の母音（日本語で言う「あいうえお」に当たるもの）は、同じ音でも発音を四種類の「声調」にわけて微妙な使い分けをするのですが、「台湾語」ではそれが七種類（実際には八種類あるものの、六番目の発音が現在では使われなくなっています）の使い分けで話されています。そのため、たとえば日本語の「こんにちは」に当たる「你好」でも、「普通語」としての「中国語」の発音と、「台湾語」の発音では、まったく印象の違うものになっています。

こうした問題を、琴子がどのように乗り越えていくのか。それはぜひ、小説の本編を読んで頂ければと思います。

台湾×マンガ的世界観

台湾を題材にした小説で、よりエンタテインメントとして読むことができるのが、二〇一五年に第一五三回直木賞を受賞した**東山彰良**『**流**（りゅう）』です。

舞台は台湾の首都・台北。1975年。17歳だった主人公の葉秋生（イエチョウシェン）の祖父・尊麟（ヅゥンリン）が、台北の北西部にある問屋街「迪化街（ティーホアチェ）」にある自身の布店の中の浴槽で、水死体として発見されます。

この祖父は、中国の山東省の出身でしたが、第二次世界大戦の後で中国の政治権をめぐって起こった中国共産党と中国国民党とのあいだの戦闘で、国民党側について戦ったものの台湾に逃れてきたという、不死身のような人物でした。

そのため主人公の秋生は、どうしても祖父の死が信じられません。

誰に、なぜ、祖父は殺害されたのか。小説の基本的なストーリーは、この謎を解決するミステリ小説になっています。

一方でこの小説は、主人公の姉のような存在で二歳年上の幼なじみである毛毛との初恋や、台北の暴力集団との抗争、陸軍の軍官学校での出来事など、さまざまな困難や冒険に主人公が向き合っていく現代の冒険小説であり、武侠小説であり、青春小説としての要素も持っています。エンタテインメントとしてのさまざまな要素が、いくつも折り重なってできている小説とも言えるでしょう。

特に注目したいのは、『流』という作品の世界観の作られ方です。

作者の東山彰良さんは一九六八年、台湾人の両親のもとで台湾で生まれ、九歳のときに日本に移り住んでいます。その後、台湾と日本を往復されていますが、舞台になっている一九七五年の台北はちょうど、東山さんが少年時代を過ごされた街をもとに作られています。

また、作中で秋生がみつける祖父について記した石碑は、祖父の謎を解く上で重要なポイントになっているのですが、東山さんの祖父にも同じように石碑があり、それをもとにして書いたとインタビューで答えられています。

しかし、このように現実をもとにしているからといって、小説に描かれる台北、そして台湾の風景は、必ずしも一九七〇年代の台湾そのものだとは言えません。というのは、この小説は特に台北の暴力集団との抗争については、少年マンガや青年向けのマンガにしばしば見られる「不良マンガ」の作品や、ギャング・マフィア映画と呼ばれるジャンルの映画を、強く意識して書かれているように見えます。

「不良マンガ」といえば、ひと昔前であれば、**きうちかずひろ『ビー・バップ・ハイスクー**

ル』や森田まさのり『ろくでなしBLUES』が浮かびますが、最近では**和久井健『東京卍リベンジャーズ』**のような、新しい傾向の作品も生まれています。

こうした「不良マンガ」などを脇に置いてみると、『流』の世界観がわかってきます。つまり、作者の東山さんが見ていた一九七〇年代の台湾の風景を、「不良マンガ」で描かれるようなマンガ的な世界やギャング・マフィア映画の世界に書き換えて、それを文章として表現していくという手法を採っていると考えられるのです。

こうした『流』の世界観は、世界史の授業で扱われたことがないと少しわかりにくいかもしれないので、最初にご紹介した胎中千鶴さんの『あなたとともに知る台湾』なども参考にしてください。台湾という地域が歴史の中で置かれてきた複雑な事情がわかると、この小説をより楽しむことができるようになると思います。文庫本としてはかなり分厚いので、少し手に取りにくいかもしれませんが、読み始めて世界観に入り込めるようになると、一気に読める作品だと思います。

そして、もし機会があれば、台北の「迪化街」を訪れてみると、今でも昔ながらの台湾の雰囲気がかなり残っている街なので、この小説で描かれた台湾の姿が見えてくるように思います。

昼休み――家庭科

和菓子と物語

紹介した本

『和菓子を愛した人たち』
虎屋文庫
山川出版社、二〇一七年

『和菓子のアン』
坂木司
光文社（光文社文庫）、文庫版は二〇一二年。
シリーズに『アンと青春』、光文社（光文社文庫）、二〇一八年

『であいもん』
浅野りん
単行本既刊十冊、KADOKAWA
（角川コミックス・エース）、二〇一七年～。
『ヤングエース』（KADOKAWA）で連載中

和菓子のアン
坂木 司

和菓子を愛した人たち
虎屋文庫
山川出版社

1
浅野りん
であいもん

甘いものが食べたい！

ちょっと疲れたときや、ストレスが溜まっているときには、無性に甘いものが食べたくなります。そんなとき、みなさんは何を食べるでしょうか？

現代の私たちはどうしても、まずは洋菓子を思い浮かべてしまいます。ケーキにチョコレート、クッキー、フィナンシェ。生クリームやバター、砂糖をふんだんに使ったお菓子はとても魅力的です。

一方で、ほんのりと甘い和菓子も捨てがたい。

特に最近は、味だけでなく見た目や形でも、さまざまに工夫を凝らした新しい和菓子が作られています。

もともと和菓子という名前は、単に洋菓子に対して、そのように呼ぶようになったものです。もちろん伝統的なお菓子もその中に多く含まれていますが、けっして型にはまった、堅苦しいものではありません。

今回は、そんな和菓子がつい食べたくなってしまうような本を紹介していきたいと思います。

和菓子から見る日本史

甘いものへの欲望は、歴史の教科書に出てくるような人たちでも、私たちと変わりませんでした。もちろん、日本の歴史上の人物が食べていたのは、ほとんどの場合が日本の伝統的なお菓子である和菓子になります。

虎屋文庫『和菓子を愛した人たち』には、政治家や作家、文化人など、歴史に名前を残した人たちがどんな和菓子を食べていたか、それをどれだけ好んでいたか、物語や文章にどういうお菓子を登場させたのかというエピソードが、当時のお菓子の再現画像とともに実に100編も収められています。

たとえば、高校三年生の古典で扱う『源氏物語』の「若菜上」の巻には、「椿もちひ（椿餅）」というお菓子が出てきます。

これは、室町時代初期に成立した『源氏物語』の注釈書である『河海抄』によると、椿の葉でお餅を挟んだお菓子だそうです。当時は砂糖がとても高価なものだったため、甘葛（ツタの樹液を煮詰めたもの）で甘さを加えていました。

さらに他の資料から、平安貴族が「蹴鞠（けまり）」をして遊ぶときによく出されていたことがわかるとのことです。こうした書物による調査に基づいて、「椿もちひ」が再現されています。

少し時代を下って、織田信長がポルトガル人の宣教師ルイス・フロイスに日本でのキリスト教の布教を許したとき、信長に献上されたのは、ガラス瓶に入ったコンフェイト（Confeito）でした。これは「金平糖」という名前で、和菓子として定着していますね。けれども、現在の金平糖よりも砂糖を結晶化させる期間が短いので、形は一つ一つ違うものになるそうです。

このように、和菓子とはけっして日本で独自に作られたものだけを言うわけではありません。ヨーロッパや中国から受け入れたものでも、長く日本で作られ、あるいは新しいものに作り替えられていたら和菓子として受け入れてしまう。そういう懐の深さも、和菓子の魅力の一つだと言えるでしょう。甘いものを求める欲望に、国境は関係ありません。

この本に収められたエッセイは、羊羹（ようかん）などで有名な和菓子の老舗「虎屋（とらや）」が、お菓子の資料室として昭和四十八年に立ち上げた「虎屋文庫」の学芸員の方たちがさまざまな調査を行って、インターネット上の「虎屋」のホームページで連載していたものです。

ここに掲載された再現画像と同じように、二〇一六年から、国文学研究資料館と国立情報学研究所という二つの研究機関が、書物に書かれた江戸時代のレシピを再現する試みを行っており、現在、料理レシピ投稿・検索サービスの「クックパッド」でそのレシピが公開されています。(https://cookpad.com/recipe/list/1460464)このようにレシピや食の記録も、書物として残されることで、現代において再現することが可能になります。

日本史を勉強するときには、どうしても人名や事件の名前などを覚えることが多くなってしまいます。けれども、ただ名称を覚えるだけでなく、それぞれの歴史上の人物が持っているエピソードに触れてみたり、歴史に残されたより具体的なモノに触れてみたりすることで、歴史をより身近に感じることができます。そのとき歴史は、ただの暗記ではなく、私たちの実感をともなったものとして記憶に残っていくでしょう。

その意味で、コラムなども交えながら〝和菓子から見た日本史〟を描いたと言える『和菓子を愛した人たち』は、そうした歴史のあり方に触れることができるとともに、紹介されているお菓子までつい食べたくなる、そんな魅力的な一冊になっていると思います。

和菓子を魅力的に描く

作家が物語を書くときに腕の見せどころの一つとなるのは、作中に出てくる食べ物をどれだけおいしそうに見せられるか、それを食べたいと読者に思わせることができるかどうかです。和菓子を題材として取り上げた小説やマンガは必ずしも多くありませんが、そうした表現にはやはり、さまざまな工夫が見て取られます。

その中で、中高生のみなさんでも読みやすい小説作品が、**坂木司『和菓子のアン』**です。

高校を卒業したものの、大学に行きたいと思うほど勉強が好きではなく、専門学校にいくほどやりたいことがあるわけでもなく、会社員として就職するのもいまいちピンとこなかった梅本杏子（うめもときょうこ）。

彼女はこのままだとニートになってしまうという危機感から、デパートの地下食品売り場にある「和菓子舗・みつ屋」の販売店でアルバイトとして働くことになります。

ふだんは穏やかなのに趣味としている株の投資のことになると過激な人格に変わってしまう店長の椿はるか。イケメンで菓子職人を目指しているけれど乙女男子でつかみどころがない立花早太郎。元ヤンキーの女子大学生・桜井さん。

個性豊かな店員たちに囲まれた杏子が、「杏」の字が「アン」とも読めることから、アンちゃんと呼ばれて可愛がられながら和菓子の奥深い世界に入っていくことになるという、短編連作の日常ミステリ小説になっています。

たとえば第3話に当たる「萩と牡丹」は、アンが売り場にいるところに、坊主頭の一歩手前まで髪の毛を刈り込んでサングラスをかけ、龍と虎を描いた長袖Tシャツを着た、怖い風貌の男性が訊ねてくるという物語。

アンはこの男性から「菓子が泣くぞ」「売り物になんかならない」「腹切りだ」と次々に物騒な言葉を浴びせられます。

はたしてこの男性はいったい何者なのか……。この部分が、ストーリーの核になっています。少しネタバレになりますが、「萩と牡丹」で謎の男性が使った用語は、すべて和菓子の世界のもの。この他にも、和菓子には俳句の季語のように季節ごとに出す決まったお菓子があったり、名前が駄洒落になっていたりと、多くの遊びが込められています。

特にこの「萩と牡丹」の話では、和菓子そのものが持っている物語が、読みどころの一つになっています。

たとえば、秋のススキをイメージしたお菓子が「嵯峨野」と呼ばれることについて、アンは立花から、これは『源氏物語』で六条御息所が嫉妬のあまり葵の上を取り殺してしまった後、葵の上を亡くした後悔のために、光源氏が嵯峨野にこもってしまう場面に由来があると教えます。

「愛すればこその嫉妬。女としての業（ごう）、生きる身の哀しさっていうの？　そういうのがさ、風にざわめくススキと重なるわけ。なんかこう、ざあっていう音まで聞こえてきそうじゃない？」

そんな立花の言葉に、アンは、ススキという一つのきっかけから次々と広がっていくイメージが一つの和菓子に込められていくことを学び、高校のときには興味を持つことができなかった古典も、読んでみたいと思えるようになっていきます。

このように和菓子についての知識をアンが少しずつ身につけていき、周りの店員たちやお客さんたちからいろいろなことを教えられていくことで、高校卒業までは「食べること」くらいにしか興味がなかった彼女が、少しずつ「和菓子舗・みつ屋」で働きがいを見つけ出していく。そうしたアンの成長物語としての側面を、この小説は持っています。

それと同時に、和菓子が持っているさまざまな意味合いをアンを通して読んでいくことで、思わず読者が和菓子屋さんに足を運んで、ショーケースに並んでいる和菓子を眺めてみたくなる。そんな仕掛けが、この小説には数多く施されています。

和菓子のさまざまな側面

マンガ作品では、**浅野りん『であいもん』**が、繊細なタッチで和菓子を丁寧に描いています。

父親が入院したという連絡を受け、音楽の夢を捨てて十年ぶりに和菓子屋「御菓子司・緑松」を営む京都の実家に帰ってきた納野和。けれども実家には、一果という十歳の見知らぬ女の子がどういうわけか住み込みで働いており、店の主人である父は彼女が店の「跡継ぎ」だと和に告げるというストーリーです。

この作品では、両親に捨てられて身寄りのない一果の面倒を見ることになった和が、父親代わりとして一果との関係を築いていく様子を、コメディを交えながら描いています。

二〇二〇年現在、雑誌連載中なので完結していない作品なのですが、この作品では今のところ、基本的に一話につき一つずつの和菓子を取り上げ、それを軸にしてストーリーを展開しています。

たとえば2巻に収められている「第6話　夏宵囃子」は、東京で和と別れた後、京都にやってきた元恋人・佳乃子が和と再会し、一果の本当の父親が行方不明だと聞かされるという物語です。

ここで取り上げられているのは、鮎の形をかたどった和菓子「若鮎」。

このお菓子は、餡子を包む関東と、求肥（白玉粉や餅粉に砂糖や水飴を加えて練りあげたもの）を包む関西とで違うだけでなく、京都では鴨川の鮎、たとえば岐阜では長良川の鮎というように、どの川を泳いでいる鮎に見立てるかが違っています。

それを、佳乃子は和菓子がこのように「色んな見方で解釈」されるものとしてとらえ、和を自分の父親だと「解釈」するように促すことで、なかなか周囲にいる人たちに心を開かない一果と和との関係とを築く手助けをすることになります。

この他にも、和三盆で作った落雁（らくがん）の食感に注目した「第4話　四葩に響く」（1巻）、工芸菓子のもつ「カンペキ」な美しさをモチーフにした「第14話　秋色に舞う」（3巻）、菅原道真の和歌「東風吹かば匂ひおこせよ梅の花主なしとて春な忘れそ」をもとに梅のつぼみを表現した和菓子「未開紅（みかいこう）」を取り上げた「第19話　春待ち偲ぶ」（4巻）など、和菓子が持っているさまざまな側面を取り込んでいます。

和菓子は、一つのモノがただ目の前にあるモノとしてあるだけではなく、そこにはさまざまな歴史や、文化、イメージが折り重なっていることを私たちに示してくれます。このようにモノが持っている多くの意味を読み解いていくことも、本や物語を読むときに、とても重要な発想なのです。

5時間目　国語／総合学習

平和について考える

紹介した本

『ちいちゃんのかげおくり』
あまんきみこ
あかね書房、一九八二年

『火垂るの墓』
野坂昭如
新潮社〔新潮文庫〕、
文庫版『アメリカひじき・火垂るの墓』は一九七二年

『夕凪の街 桜の国』
こうの史代
双葉社、二〇〇四年

『この世界の片隅に』
こうの史代
双葉社、二〇〇八〜〇九年

『花や咲く咲く』
あさのあつこ
実業之日本社〔実業之日本社文庫〕、文庫版は二〇一六年

『バッテリー』
あさのあつこ
KADOKAWA〔角川文庫〕、二〇〇三〜〇七年

『NO.6』
あさのあつこ
講談社〔講談社文庫〕、文庫版は二〇〇六〜一五年

『THE MANZAI』
あさのあつこ
ポプラ社〔ポプラ文庫ピュアフル〕、
文庫版は二〇一〇。他

『わたしの町は戦場になった
シリア内戦下を生きた少女の四年間』
ミリアム・ラウィック、
フィリップ・ロブジョワ、大林薫（訳）
東京創元社、二〇一八年

『平和をつくるを仕事にする』
鬼丸昌也
筑摩書房〔ちくまプリマー新書〕、二〇一八年

ちいちゃんのかげおくり
あまんきみこ 作　上野紀子 絵

花や咲く咲く
あさのあつこ

わたしの町は戦場になった
シリア内戦下を生きた少女の四年間
Le journal de Myriam

平和をつくるを仕事にする
鬼丸昌也
295

ちいちゃんのかげおくり

あまんきみこ『ちいちゃんのかげおくり』という作品を覚えている人は多いと思います。光村図書が発行している小学校三年生用の国語教科書に、一九八六年から現在まで収録されている作品ですし、光村図書の国語教科書は日本国内の非常に多くの小学校で使われているためです。

主人公のちいちゃんが、お父さんから「かげおくり」という遊びを教えてもらいますが、お父さんはその次の日に、兵隊としてに戦争に出征してしまいます。しだいに戦争は激しくなり、ちいちゃんの住む街でも、アメリカ軍の飛行機による空襲が行われるようになっていきます。ちいちゃんは、暗い橋の下でたくさんの人が集まっているところに、逃げることができ、やがて防空壕（ごう）で生活を始めた――ように、思えました。

しかし、とても天気の良いある朝、「かげおくりのよくできそうな空だなあ」と思って「かげおくり」をしてみると、ちいちゃんは空の上にある花畑の中に立っています。そこには、もう会うことができなくなったお父さん、お母さん、お兄ちゃんがいた……という内容です。

戦争で生き残って、学校生活を送ったり、友達と遊んだり、恋をしたり。そうした未来にあったはずの日常生活がいきなり断たれてしまうという展開に、衝撃を受けた人も多いかもしれません。

学校ではこのように、戦争の悲惨さについて学んだり、異なる立場の人たちと平和的に物事を解決するためにはどうすれば良いのかを話し合ったりすることで、平和な状態を維持するにはどうしたら良いのかを考えるという授業が必ず行われています。

また、読者に同じような問題について考えてほしいという願いをこめて、日本の小説やマンガでは、第二次世界大戦に関係した題材で物語が書かれることが多くあります。

たとえば、スタジオジブリがアニメーション映画化した**野坂昭如**『**火垂るの墓**』は、第二次世界大戦中に兵庫県神戸市と西宮市を襲った空襲で両親を亡くした兄と妹の物語。**こうの史代**『**夕凪の街　桜の国**』では、広島を襲った原子爆弾のために、原爆症の恐怖に怯える人々が描かれています。また、こうの史代さんは二〇一六年にアニメーション映画が公開されて話題になった『**この世界の片隅に**』を、学校の図書館などで読んだことがある人も多いかもしれません。

前向きに、未来を生きる

このように、平和について考えることのできる小説やマンガ、アニメーション作品は、数多く創られています。特に日本では、第二次世界大戦で起きたことを描くことで、同じことが二度と起こらないように過去をかえりみるということが行われてきました。

一方で最近では、これまで挙げてきたような作品とは少し異なる視点から戦争を描こうとする作品も見られるようになっています。その中の一つが、あさのあつこ『花や咲く咲く』です。

あさのあつこさんといえば、『バッテリー』や『NO.6』、『THE MANZAI』などを読んだことがあるという人もいるかもしれません。けれども、『花や咲く咲く』は、そうした作品とは、かなり色が違った小説になっています。

作品の舞台は、昭和十八（一九四三）年。温泉地の湯藤町にある旅館の娘で、女学校に通っている三芙美は、学校の友達の詠子、則子、和美とともに、それぞれの選んだ美しい布を使って洋服のブラウスを作ろうとします。

けれども、今は戦時中。ブラウスのような洋服を着ているだけで怒られてしまいますし、そもそも外国語は、「敵」の言葉である「敵性語」とされているので、「ブラウス」という言葉さえも使うことができません。そんな中でも、いつも着ているようなモンペではなく、オシャレがしたい！　その一心で、三芙美たちはこっそりとブラウスを作っていくことになります。

戦争が起こっていて、食料も十分に手に入らず、三芙美たちが住んでいるような田舎でもいろいろな制約があります。けれども、そんな中でも、自分らしく、明るく生きようとする少女たちを、この小説ではとてもいきいきと描いています。

服装なんて……どうでもいい。そんなものに気をとられるなんて恥ずべきことではないか。極寒の地で、灼熱のジャングルで、南海の孤島で、大東亜共栄圏の理想を実現するために命をとして戦ってくださる兵隊さんのことを思えば、レース？　フリル？　ギャザー？　そんな言葉を口にするなんて、不謹慎も甚だしい。

そうだ、不謹慎だ。恥ずべきことだ。

頭ではわかっている。よく、わかっている。なのに、心が言うことをきかない。

三芙美は現実的な考え方を持っていて、自分たちが置かれている状況を冷静に受け止め、戦争のために起こっているさまざまなことから、少し距離を置いて冷静に見ています。けれども、それでもやっぱり、やりたいことをやりたい。そんな気持ちが、率直に表現されています。

こういう三芙美の生き方が可能だったのは、田舎に住んでいるために空襲を受けたりすることがなかったためとも言えますし、昭和十八年の時点では、まだ日本の戦局がそれほど追い詰められていなかったということもあるかもしれません。

けれども、ストーリーがすすんで戦争がしだいに迫ってくる中でも、三芙美は戦争が終わった後の未来を見据えて生きようとしています。

もちろん、戦争がいかに悲惨なものだったかを、描くこともできたでしょう。けれども、戦争の中でも、三芙美のように前向きに生きようとする人たちもまた、戦争の中にある人間の姿の一つなのです。

『花や咲く咲く』のような、戦争の中で生きる女性の姿は、先ほど挙げたこうの史代『この世界の片隅に』でも描かれていました。こうした傾向の作品が書かれるようになってきたのは、第二次世界大戦の終戦から、七十年以上が経ったということも、深く関わっているように思います。

戦時中の体験をご存知の方がどんどん亡くなられ、現代を生きる私たちは、リアルに戦争を感じ取ることが難しくなっています。そのため、日本で起こった戦争をどのように描くかという点については、現代の作家、マンガ家、アニメーション作家、脚本家にとって、とても難しい問題になっています。

現在の、リアルな戦争

一方で、日本ではなく世界に目を向けて見ると、今でも現在進行形で、さまざまな場所で戦闘や紛争が起こっています。

その中で、中東の国・シリア最大の都市であるアレッポで、二〇一二年から二〇一六年にかけて行われた戦闘に巻き込まれた一人の少女が、自分たちの周りで起きていることを書き留めた日記を出版したのが、**ミリアム・ラウィック、フィリップ・ロブジョワ、大林薫**（訳）『**わたしの町は戦場になった　シリア内戦下を生きた少女の四年間**』です。

シリアで起きている紛争は、非常に複雑な事情が関わっています。

ごく簡単に言えば、政権を握っていたアサド大統領に反対する市民の抗議活動が戦闘に発展し、だんだん激しくなっていく中で、さまざまな国や地域、組織の人たちが自分たちの利権をめぐって武力衝突や暴力行為を行うようになり、国内が大混乱に陥ってしまったというものです。日記の著者であるミリアムが巻き込まれたアレッポでは、町が東西に分断され、大統領を中心にした政府軍と反政府勢力とが、激しい戦闘を行った場所です。

こうしたシリアの内戦についてもう少し詳しくわかった上で読むと、この本はより広い視点で読むことができるのかもしれません。けれども、まずはミリアムが書き記した日々の記録、子どもの視点から見た戦争の様子に、向き合って頂きたいように思います。

七歳だったキリスト教徒の少女・ミリアムが過ごしていた平和な日々。インターネットなどで調べると昔の写真が出てきますが、シリアのアレッポは戦闘が起こる前まで、とても美しい町だったそうです。

けれども、二〇一一年九月二十日、ミリアムは学校の壁に黒いペンキで書かれた落書きを目にします。

〈革命あるのみ!〉〈われらに自由を!〉

およそ半月後から町では政府に反対する人たちによるデモが見られるようになり、その年の末には、政府がデモをしている人たちに対して銃を発砲したという情報が入ってきます。それ以降、二〇一二年になると少しずつ不穏な空気が町を包み始め、七月には爆弾が爆発する音や銃の音が日常のように聞こえ、停電や断水によって、生活もだんだんと難しくなっていきます。また、周囲からは、身近な人が戦闘に巻き込まれて亡くなったという情報も、よく入ってくるようになります。

その中でとても印象的なのは、ミリアムがいつも学校に行きたいと願い、そのために、激しい戦闘をかいくぐって通い続けている姿です。

学校に行けば友達がいるというのは、もちろんです。一方でミリアムは、学校で勉強することに大きな喜びを見出しています。

わたしは、成績表をもらった。ママに「えらいわ」とほめられた。一年間、一日も授業を休まなかったからだ。「学校で学べるということは、なによりも大きなチャンスが与えられたということよ。少しでも多くの教育が受けられれば、そのぶん人生もうまくいくわ」とママはいう。

戦争のない地域に住んでいる私たちは、こうした日常の大切さや、教育を受けたり、勉強したりできることへの喜びを、どうしても忘れがちになってしまいます。そうすることで未来を見ていくことの大切さを、ミリアムの日記は教えてくれているように思います。

平和をつくる仕事

それでは、ミリアムのように戦闘地域に住んでいる人たちに、私たちが何かできることはないのでしょうか？

そうした問題について考えさせてくれるのが、**鬼丸昌也『平和をつくるを仕事にする』**です。

著者の鬼丸さんは、NGO（非政府組織）「テラ・ルネッサンス」を設立し、世界中の紛争地域に住む人々が抱えているさまざまな課題を講演で伝え、そこで集まったお金を地雷除去団体に提供するという仕事をされているそうです。

NGOを設立したきっかけは、大学四年生のときにカンボジアを訪れ、地雷除去を目の当たりにしたことだそうです。その中で、今自分には何ができるのかを考え、できることを精一杯やることを目指したと言います。

そうした活動の中で、戦闘に参加させられている「子ども兵」の存在や、それぞれの地域でなぜ戦闘が起きてしまっているのかなどを知ることになり、それらについても本の中で詳しく書かれています。

それでは、こうした本を読んでいる私たちに、何かできることはないでしょうか？

自分自身のことを振り返ってみると、たとえば著者の鬼丸さんのように紛争地域に自分から足を運んで、そこで活動をするような自信はありません。それは、多くの人がそうではないかと思います。

けれども、それでも私たちにもしかしたら、できることがあるのではないか？

そんなことを、考えさせてくれる一冊になっています。

金原瑞人先生、ひこ・田中先生が編まれた『今すぐ読みたい！　10代のためのYAブックガイド150！』（ポプラ社（全2冊）、二〇一五年、二〇一七年）の項目執筆に参加したときにも感じたことですが、YA書籍のブックガイドとなると、どうしても小説が中心になってしまいます。けれども、第2部でまとめたとおり、新しい学習指導要領では読書がこれまで以上に重要な意味を持ってくるだけでなく、どのようにして小説以外にも中学生、高校生の読書を広げていくかが課題になってきます。

そうした中で、この本でまとめた内容が、中学校、高等学校での読書指導や、図書館での活動にとってのヒントになることができましたら幸いです。

最後になりますが、この本を企画してくださったひつじ書房の松本功社長、編集部の森脇尊志さんと、執筆に当たって多くのヒントを与えてくださった中学校、高等学校の先生方、図書館司書の皆さまに、心より御礼申し上げます。

大橋崇行

おわりに
——この本を手に取ってくださった先生方、司書の方へ

この本は、ひつじ書房のウェブマガジン「未草」で、二〇一七年八月から二〇一八年八月にかけて連載した「中高生のための本の読み方」に、書き下ろしを加えて、単行本としてまとめたものです。

もともとは、公共図書館で行われているYAサービスの担当者の方や、中学生、高校生に向けて、ライトノベルをはじめとしたエンタテインメント小説を紹介したり、それを読むことで読解力を身につけてもらったりするための読書案内はできないだろうかということで、ひつじ書房さんからご提案を頂きました。

けれども、たとえばライトノベルを考えたとき、シリーズをずっと図書館が購入し、排架し続けることは難しいと思います。その上、エンタテインメント小説はどうしても流行に左右されることが多いので、読書案内を作ってもすぐに中高生にとって縁遠いものになってしまい、数年ごとに選書を更新していく必要が出てきます。また、娯楽としての読書は、どうしてもストーリーを読んで「面白かった」で終わってしまうことが多いので、中学生、高校生の「読解力」に結び付けるのは非常に難しいように思います。

そこで、小説だけでなく、マンガも含めたいろいろな本を楽しんで読みながら「読解力」へとつなげていくためのヒントを示す、ということをコンセプトにして、まずは毎月「ひとりブックトーク」をやってみようということで連載を続けました。その結果、第1部では94タイトルの本を紹介することになりました。

師側から生徒に質問することだけでなく、読み手がテキストに向かって、なぜそれが起きたのか、どこにそれが書かれているのかと、問いかけることも含まれています。

つまり、「読解のストラテジー」においては、同じテーマについて書かれた複数のテキストを読むことや、あるテキストで得たそのテーマについての知識を別のテキストを読むときに使ったり、そこでわからなかったことを別のテキストをたどって調べたりすることが必要だと位置づけられており、これが「PISA型読解力」に反映されているのです。

このような「読解力のストラテジー」が現代の子どもたちに求められているとすれば、そうした意味での「読解力」を身につけるもっとも有効な方法の一つが、ブックトークだということになります。なぜなら、小説や戯曲、詩といったテキストを、論説文や説明文とテーマでつないでいくこと、また、それらを要約し、自分の言いたいことをまとめ、重要なポイントを絞っていくという活動は、まさにここで求められている「読解力」そのものだと言えるからです。

- ・要約する
- ・重要なできごとを時間にそって列挙する
- ・視覚化する
- ・推論する
- ・総合する
- ・重要なこととあまり重要でないことを区別する
- ・文学的な要素を分析する
- ・テクスト構造の知識を使う

3. 読解力を評価する
- ・予測を評価して修正する
- ・質問する
- ・明確にする

（T・E・ラファエル、L・S・パルド、K・ハイフィールド（著）有元秀文（訳）『言語力を育てるブッククラブ　ディスカッションを通した新たな指導法』、ミネルヴァ書房、2012年）

ここで示された「読解力のストラテジー」は、さまざまな視点からテキストを読み解く力を求めています。

第一に、知識に関わるものです。今読んでいるテキストについて、同じテーマについて書かれた本の内容や、すでに持っている知識を使いながら読み取ることが求められています。また、それらがどういう関係にあるのかを考えたり、本文を読み進めていく中で内容の予測をしながら読むことも必要となります。

第二に、テキストを要約したり、整理したりする作業です。テキストに何が書かれているのかをはっきりさせ、その構成要素を切り分けた上で、時系列で出来事を並べなおしたり、テキストに書かれていることを視覚化したりすることで、内容をつかんでいきます。また、段落の中で重要な部分とそうでない部分とを判断し、段落や節、章ごとに細かく要約を積み重ねていくことも、有効な読解方法になると言えます。

また推論は、テキストにははっきりと書かれていない内容についても、テキストに書かれた内容から考えられる範囲で、読み解こうという考え方です。

第三に、問いかけを通じて、読解を明確にしていくこと。これは、教脚本、随筆、文化を論じた近現代の評論など幅広い分野の作品を視野に入れること」も含んでおり、その中で図書館を有効に使うべきだという方向性が示されています。

けれども、これを国語の授業内で実施することは、非常に難しいと思います。そのため、こうした読書に関する指導は、実際には国語の授業だけでなく、学校図書館や公共図書館で担っていくことになるように思います。

もちろん、PISA調査はあくまで15歳の時点での能力について測るものです。しかし、それではその年代を過ぎたらそこで求められたような読解力は不要なのかというと、そういうことにはならないでしょう。これからの国語教育では、ここで求められた「読解力」を、中学校から高等学校、大学での言語教育、さらには職業に就いたときに必要となる文章の読解へと接続させていくことが求められることになります。

読解のストラテジー

それでは、PISA調査で求められるような現代の「読解力」を向上させるには、子どもたちのどういった力を伸ばしていけば良いのでしょうか。また、なぜ複数の本を読むということが重要視されているのでしょうか。

この問題について考えるときには、PISA型読解力が理論的な根拠の一つとしている、T・E・ラファエルによる「読解力のストラテジー」が非常に参考になります。

1. 予備知識を使う
    - ・今まで持っていた知識を使う
    - ・必要な新しい知識を身につける
    - ・ほかの本と関連づける
    - ・言葉の意味を知る
    - ・予測する
2. テクストを処理する

容を見てみましょう。

> 我が国の言語文化への理解とは、上代から近現代までの連続した時間の中で言語と文化の関わりについて、多様な視点で考えたり新たな認識を深めたりすることを指している。そのためには実体験だけでなく、読書を通して新しい知識を得たり、自分の考えを広げたり深めたりすることが必要となる。
>
> 具体的には、同一のテーマについて描かれた複数の作品を読み比べ、それぞれの作品の歴史的・文化的背景の違いを考えながら、人間、社会、自然などについて考えたり、当時の人々のものの見方、感じ方、考え方を味わったりすることなどが考えられる。古典を読む場合には、原文で味わうことも大切であるが、現代語訳を読んで作品の世界を身近に感じることに重点を置く読み方も重要となる。さらに、古典を翻案した近現代の物語や小説などを読むことによって、古典の世界を身近に感じることができるだけでなく、伝統的な言語文化が享受された一つの在り方に触れることができる。
>
> また、物語や小説だけでなく、韻文や脚本、随筆、文化を論じた近現代の評論など幅広い分野の作品を視野に入れることも大切である。図書館などで図書に触れることに加え、新聞やインターネットなどの図書の紹介欄にも積極的に目を通し、読書に対する自分の興味・関心の幅を広げながら、多くの図書を読んでいくような読み方も大切である。（文部科学省『高等学校学習指導要領（平成30年度告示）解説』、2018年7月）

ここでは、「読書を通して新しい知識を得たり、自分の考えを広げたり深めたりする」ために、「同一のテーマについて描かれた複数の作品を読み比べ、それぞれの作品の歴史的・文化的背景の違いを考えながら」読むことが必要とされています。また、特に「言語文化」は、これまで「国語総合」の現代編で学習されてきた小説も扱う科目なので、どうしても読書というと小説がまずは思い浮かんでしまいますが、「韻文やでいます。一方でそれだけだけではなく、文学のテキストに見られる要素や構造を分析したり、物語の内容を時系列に沿って並べたりといった、従来の国語教育と接続する内容も少なからず含まれています。

具体的には、「PISA型読解力」の論理的思考は、スティーヴン・トゥールミン(Stephen Edelston Toulmin)の『議論の技法』(*The Uses of Argument*, 1958)に基づく部分が多く、ある主張を行うときに根拠を求め、主張と根拠との関係を検証するという手続きを踏む思考モデルになっています。これは、「非連続型テキスト」でも扱える領域なのですが、むしろこのモデルで読解力を養う上では、「連続型テキスト」の小説などが非常に有効になります。なぜなら、物語の世界で起きた「事実」を根拠として、その物語についての主張を読み手が作っていくという、2000年代初頭にフィンランドなどで行われていた読解の授業が、この論理モデルと非常に近く、読解の指導や実践の方法としてすでに確立しているためです。

その意味で、「現代の国語」や「論理国語」に、「実用」的な文章や「論理」的な文章だけを収めることにし、高等学校の2年生以降は実質的に「論理国語」か「文学国語」のどちらかしか選べないようになっている今回の学習指導要領改訂は、「PISA型読解力」というところから出発しながらも、そこで求められる読解力の大きな部分を高校生が学ぶことができないという、非常に問題のある構成になっていました。

そうした中で、学習指導要領の「解説」に今回から初めて加えられた「読書」の項目は、当初発表された学習指導要領の範囲では不充分だった「読解力」についての指導内容を、より具体的な形で補うものとなりました。学習指導要領の本文の中にはPISA調査で求められる「読解力」に関わるキーワードがあちらこちらに散りばめられているので、どこが「PISA型読解力」と結び付くのかが非常に読み取りにくくなってます。それが、「解説」に入れられた「読書」の項目を見ていくことにより、今回の学習指導要領がどのような「読解力」を目指しているのかだけでなく、それが「PISA型読解力」と深く関係していることがより明確な形でわかります。

たとえば、「言語文化」についての「解説」で書かれた「読書」の内きく内容が異なっており、特に国語科は非常に大きな変化がありました。

その中で、今回の改訂を特徴づけるものの一つが、新しい中学校、高等学校学習指導要領で、「国語」の「解説」の中に、新たに「読書」という項目が設けられた点です。たとえば高等学校の国語は、新しい学習指導要領では「現代の国語」「言語文化」「論理国語」「文学国語」「国語表現」「古典探究」の六つの科目に分割されますが、このすべての科目について、「読書」の指導の目安となるあり方がはっきりと示されました。

これは、新学習指導要領が、OECDのPISA調査(Program for International Student Assessment)の「読解力(Reading)」に関する調査で、日本の中学生の順位が低下していることから出発しており、その中で特に「読書」によって得られる「読解力」が重要になってくると位置づけられたためだと思われます。

PISA調査で求められる「PISA型読解力」というと、どうしてもグラフや広告、説明書、カタログといった文章を読み解いたり、複数のテキストを読んだりといった、新しいテキストに関わるものがマスメディアで報道されてしまうため、国語や読書と結び付くイメージがつきにくくなっているように思います。けれども、これらのテキストはPISA調査で「非連続型テキスト(Non-continuous text)」と呼ばれるものです。

一方で、PISA調査では「連続型テキスト(Continuous texts)」がもっとも重要視されており、ここでは具体的なテキストとして「新聞のレポート、エッセイ、小説、短編小説、レビュー、電子書籍リーダーを含めたレビュー」が挙げられています。PISAの調査は、「グラフや視覚に関わるもの(Graphically or visually)」や「非連続型テキスト(Non-continuous text)」などを、従来の「連続型テキスト(Continuous texts)」と「同じように(as well as)」重視するというコンセプトでできているのです(OECD, PISA 2018 Draft Analitical Flamework, 2016)。

「PISA型読解力」はたしかに、義務教育を終えた子どもたちが社会の中で生きていく上での「実用的」な読解力や、文章の中から「情報」をどのように取り出すかという、新学習指導要領に特徴的な内容も含んまた、すでに知識を持っているジャンルの本は、読者が事前に持っている知識を読書を通じて確認するだけでなく、読者がその本を読むまで知らなかった新しい知識と、読む前から持っていた知識とを結び付けて理解することができます。そのため、今まで知らなかったことが本に書かれていても、比較的理解しやすくなるのです。

同時に、複数の本を読むことで、それぞれの本に書かれている内容を関連づけていくという考え方を身につけることができます。

以上のような点で、ブックトークは読書の力を身につけ、読書を広げていく上で、とても有効な方法です。みんなで集まって楽しく進めることもできるので、ぜひ試してみてください。

ヒントになる本

村上淳子編『だれでもできるブックトーク2 中学・高校生編』
国土社、2010年

上島陽子『授業で役立つブックトーク 中学校での教科別実践集』
少年写真新聞社、2012年

東京子ども図書館『ブックトークのきほん 21の事例つき』
東京子ども図書館〔TCLブックレット〕、2016年

新学習指導要領とPISA型読解力

ここからは少し難しい内容になりますが、2021年度から実施される「中学校学習指導要領」と、2022年度から実施される「高等学校学習指導要領」で示された「国語」という教科の枠組みや、そこで求められる「読解力」と、ブックトークとの関係について考えていきたいと思います。その中で、ここでは特に、高等学校の学習指導要領について扱います。

「学習指導要領」とは、小学校、中学校、高等学校で、国語や数学、英語といったそれぞれの教科でどういう内容を学ぶかを、文部科学省が決めているものです。これは、約10年で改訂され、新しい内容に書き換えられているのですが、新しい学習指導要領はこれまでのものと大

語の「マクラ」と言います。

テレビ番組の『笑点』で、「大喜利」の前に落語家の人たちが、ちょっと変わった自己紹介をしますね。あれも、落語の「マクラ」の一種です。また、2011年に亡くなった(7代目)立川談志さんや、今いちばん人気のある落語家の1人、柳家喬太郎さんは、この「マクラ」が非常にうまく、面白いことで知られています。

ブックトークでも、話の「マクラ」を置いて、聴いている人たちを自分のシナリオに引き込むことができるように工夫してみましょう。

「知っていること」から本を読もう

ブックトークが読書のきっかけとして有効な理由として、すでに知っている知識を活用できることが挙げられます。

まったく知らないことについて書かれている本や、今まで読んだことのない内容について書かれている本には、なかなか手が伸びません。

たとえば、サッカーについて書かれた小説があるとします。

けれども、その中に試合の場面があった場合、サッカーのルールがわからないと、本の内容そのものがわからなくなってしまいます。

もちろん、小説家の技術の一つとして、サッカーのルールがわからない人でも読めるように小説を書くこともできます。けれども、サッカーの試合の場面になったとたんに本を読むことを止めてしまう人もいますし、そもそもサッカーに興味がない人は、なかなかサッカーについて書かれた本を手に取りません。

つまり、本を手に取るということは、そこで書かれている内容に興味があるということも大切なのですが、それと同じくらい、そこに書かれている内容について事前にある程度の知識を持っているということが、非常に重要になってくるのです。

ブックトークでは、最初に設定するテーマの選び方によって、この興味を限定することができます。そのため、そのテーマに興味を持っている人や、そのテーマについて知識がある人を、読書に巻き込んでいくことができるのです。

一方で京極夏彦『巷説百物語』は、「巷説」という本のキーワードから怪談を考えています。

このようにブックトークでは、以下の方法でシナリオを広げていくことができます。

- 他の本で書かれた内容とどういう関係にあるのかを考える。
- 他の本とどのように違っているのかを考える。
- テーマになっているキーワードとは別にもう一つキーワードを立てる。
- あらかじめ示されたテーマに対して、もう少し具体的な、小さなテーマを立てる。

このように、テーマを軸にして考え方を広げ、具体的な本文と結び付けていくことで、話を進めていきましょう。

話の「マクラ」と話のつながり

このように話を広げていくことは、ブックトークのシナリオで本と本とをつなぐときにも重要です。

ブックトークを実際にやってみると、どうしても、「1冊目に紹介するのは……」「2冊目は……」と、シナリオが順番に本を並べるだけになってしまうことが少なくありません。けれども、それだと聴衆がどうしても飽きてしまうので、1冊目と2冊目がどのようにつながるのか、なぜ2冊目にその本を紹介するのかを、キーワードや具体的なテーマから考えて、シナリオ全体を一つの話としてまとめていくようにしましょう。

また、ブックトークのシナリオでもう一つ重要なのは、冒頭で聴衆をどのように引きつけるかということです。

いきなり本の紹介に入っても、なぜその本を最初に持ってきたのかがわかりませんし、シナリオ全体でどういう話をしたいのかがなかなか伝わりません。

たとえば落語家の方は、寄席などで高座にあがると、かならず落語の本題に入る前にその高座にかける本題の落語に関わる話をします。それは世間話だったり、最近起きた事件のことだったり、あるいは落語の世界で使われてきた小咄（こばなし）と呼ばれるものだったりします。これを、落の出会いについてはシナリオの中に入れにくくなってしまいます。

そこで、まずは本を読むときに必ずメモをとったり、付箋(ふせん)を貼りながら読み進めていくいくことが必要になります。

1. 本の概要をまとめる。
2. 本文の中でテーマに関わりそうな部分に付箋を貼っておく。
3. 引用したい部分は、色を変えた付箋を貼っておく。
4. 小説などの場合、登場人物のリストを作っておく。
5. 文章によるメモだけでなく、図やイラストなどをメモにとって、本の内容を視覚化する。

まず、あらすじや概要については、まったく紹介しないわけにいきません。ブックトークの聞き手は、発表を聞くときにはまだその本を読んでいないので、たとえば小説を紹介するときには、どういう人物が出てくるのか、その人物はどういう人なのかという情報は必ず触れておく必要があります。

一方で、あらすじだけに終わってしまうと、ブックトークとしてはちょっと無味乾燥なものになってしまいます。

そこで、「**2**」に挙げた、「テーマに関わりそうな部分」や、「**3**」に挙げた「引用」の部分を、どうやってうまく使うかが鍵になります。

まず、ブックトークで設定したテーマが、その本ではどういうふうに書かれているかを、具体的に考えてみましょう。

たとえば、この本の第1部「ブックトーク読書案内」の「2日目」「1時間目　国語」では、「怪談」をテーマとして選びました。

1冊目の朝里樹『日本現代怪異事典』は、現代に語られている「怪談」を集めた「事典」なのですが、「事典」としてどのような特徴があるのか、これまでの「怪談」を集めた「事典」とどう違っているのかという視点からまとめました。

また、東雅夫『百物語の怪談史』や、小野不由美『鬼談百景』は、「怪談」の中の「百物語」という、具体的なジャンルという視点から話を進めています。

る検索です。

「件名」とは、本の主題(テーマ)を言葉で表現したものです。「本のキーワード」と言ってもいいでしょう。

これは、蔵書を管理している司書の方が、本の内容や、本に書かれた文章の中から言葉を拾い出し、「国立国会図書館件名標目表(NDLSH)」や「基本件名標目表(BSH)」などを参考につけているものです。

たとえば、インターネット上で探しものをするとき、GoogleやYahoo!の検索窓にキーワードを入れますよね？　それと同じように、図書館の本には1冊につき複数のキーワードが付けられていて、それに該当する本をまとめて探すことができるようになっているのです。

ブックトークのときには最強と言っていい力を発揮するので、ぜひ一度、「件名」による検索を試してみてください。

また、図書館の蔵書検索システムによっては、この「件名」検索が、単純に「キーワード検索」となっている場合もあると思います。こういう図書館では多くの場合、検索システムを立ち上げた最初のページにある検索窓が、それに当たるようになっています。

この検索窓に、著者名や書名だけでなく、思いついた単語を入れてみたり、あいだにスペースをあけて複数の単語をいれてみたりしてみましょう。

きっと、いろいろな本に出会えるきっかけになると思います。

シナリオ作りのポイント

ブックトークで使う本を読んだら、いよいよシナリオ作りです。

けれども、いきなり本を紹介するようにと言われても、なかなか難しいですよね。たとえば大学生でも、実際にブックトークをやってみると、始めのうちは本のあらすじ、概要を次々に紹介して終わってしまうことも少なくありません。

また、ビブリオバトルでは、自分とその本との出会いや、その本をなぜ紹介するのかについて、比較的長い時間を取ることができました。けれども、ブックトークは複数の本を紹介することになるので、1冊の本とります。

たとえば、「声優が行っているトレーニングについて」というテーマを設定してしまうと、トレーニングについてのハウツー本のようなものは出版されていますが、そこから広がりを作っていくことはできません。

一方で、おそらく「声優」というテーマでも、声優が書いたエッセイ、小説、声優論、声優になるためにはどうすれば良いのか……など、いろいろな本は出ているのですが、ブックトークのシナリオとして全体を構成するのは、かなり難しくなるように思います。

それでは、たとえば「声」や「音声」としたらどうでしょう?

このようにテーマを決めるときは、言葉が示している範囲や、そこから想定される本にどのようなものがあるのかなどについて、よく考え、調べてみることが必要になります。

本を選ぶときのコツ

ブックトークをやるとき、4〜7冊程度を紹介するように説明をするとどうしても、4冊の本だけを読んで、そこからブックトークを作ってしまおうとする人が出てきます。

けれども、このやり方は、ブックトークのシナリオを作ることを、かえって難しくしてしまいます。もっとよく探せば話を構成しやすい本がいくつもあるのに、限られた本の中から、無理矢理にシナリオを作らざるを得ない状況に自分を追い込んでしまうことになるからです。

そのため、ブックトークのシナリオをつくるときはまず、候補の本を多めに用意して、その中から絞り込んでいくようにしましょう。

今の公共図書館にはほとんどの場合蔵書検索システムがありますし、最近は学校図書館でも、株式会社ブレインテックの「情報館」などをはじめ、比較的手軽に利用できる蔵書検索システムを入れるところが増えてきました。

おそらく、中高生のみなさんは、こうした蔵書検索システムを使うとき、書名や著者名で探すことが多いと思います。

けれども、ブックトークのときにぜひ使ってほしいのが、「件名」によています。

1人の教員につき学生10〜15人程度がその先生のゼミに所属し、教員が司会者や支援者(ファシリテーター)となって、学生が行うプレゼンテーションを支援していくという形のものです。特に近年では、2年生や3年生から学生が自分で先生を選んでゼミに所属する前に、1年生の段階で仮にゼミのクラスを作っておいて、こうした形式の授業に慣れてもらうことも行われています。

そこで、1年生のゼミに所属することになった学生たちに、実際にブックトークをやってもらいました。その中で、特にテーマを決めるときに、いろいろな問題が出てきたように思います。

1. テーマを大きく取りすぎる

ある学生から出てきたテーマが、「学校生活について書いた本」というテーマでした。

たしかに、学校を舞台にした小説は非常に数が多いですし、中学生や高校生がどのように学校生活を送っているかのルポルタージュや、どのような学校生活を送るべきかという自己啓発的な内容の本も多く出版されているので、一見、選書が簡単にできるように見えます。

けれども、こうしたテーマで本を探してしまうと、あまりにも多くの本が候補として挙がってきてしまいます。また、こうしたテーマの設定にすると、学生が選んできた本にテーマや話題のつながりがなく、ブックトークのシナリオを作るときに、それぞれの本にまったく接点がないまま、ただその内容を紹介して終わってしまうという事態につながります。

こういうときは、あらかじめ学生、生徒が設定したテーマを確認して、もう少し範囲の狭い、シナリオを作るときに紹介する本と本とのつながりを作ることのできるテーマに絞っていくことが必要になります。

2. テーマの設定が限定的すぎる

一方で、シナリオでどういうことを話したいかということがある程度決まっているときに、あまりにも限定的なテーマを設定してしまう場合があわけです。

テーマの決め方(2)

なかなかテーマが決まらないとき、ブックトークの「1」と「2」の順序を入れ替えてしまうというやり方もあります。

つまり、先に本を選んで、それをテーマでまとめてしまうというものです。

たとえばビブリオバトルでは、自分が読んできた本の中から1冊、おすすめの本を紹介します。それと同じように、まずは1冊みんなに紹介したい本を選び、そこからテーマを絞って、似たようなテーマに触れている本を探してみましょう。

けれども、このやり方でテーマを決めるときは、最初の本からテーマを絞るときに、いくつかの候補を挙げておいたほうが良いかもしれません。一つのテーマだけでブックトークに使う本を探してしまうと、うまくそのテーマにはまる本がなかなかみつからないという事態が起こりうるからです。

これは、本からテーマを抽出するときだけでなく、あらかじめ主催者のほうでテーマを決めるときにも重要な考え方です。ブックトークの主催者のほうでテーマを設定してみて、そのテーマで実際にやってみたときにどういう本が出てくるか、どういう本を選ぶことができるか、ある程度シミュレーションしてみることが大切です。

もし、本選びに苦労しそうなときには、あらかじめそのテーマに触れている本を主催者の側でリストにしてみることも必要になるでしょう。

もちろん、テーマの選びかたはこれだけではありません。

ブックトークをするメンバーの共通の趣味や、部活、最近気になっていること、日常生活の中から、考えられるキーワードを拾っていくこともできます。その中から、本にバリエーションがでそうなもの、よりみんなで楽しくできそうなテーマを考えてみましょう。

テーマの決める難しさ

近年の大学では、ゼミと呼ばれる形式の授業が、多く取り入れられ

テーマの決め方(1)

ブックトークのテーマは、あらかじめ主催者が決める場合と、参加者で自由に設定する場合があります。図書館で行うときで、主催者が決める場合には、司書の方や図書委員などで話し合って、テーマを設定しましょう。

けれども、いきなりテーマを決めるといっても、なかなか難しいように思います。

たとえばあるテーマを作っても、そのテーマではブックトークができるほど、本が選書できないということも起こります。

そこでおすすめなのは、この本の第1部でやっているように、学校の授業でやっている「教科」から考えていくことです。

それぞれの教科には、教科書がありますね。まずは、それをパラパラとめくってみて、その中から単語を探してみましょう。

その単語を、「キーワード」とします。

場合によっては、その「キーワード」が、そのまま「テーマ」になることもあります。その「キーワード」に関係しそうな本を拾っていくことで、ブックトークができる冊数の本が集まるケースです。

また、そうした「キーワード」だけでは本が集まらないときは、そのキーワードから連想できる複数の言葉を考えてみましょう。

たとえば、この本の第1部「ブックトーク読書案内」の「1日目」「5時間目」では「技術/情報」という「教科」から、「人工知能」というキーワードを抜き出しました。けれども、「人工知能」に関する本は、紹介するには内容がとても難しかったり、ビジネスマンとして働いている方に向けて書かれていたりするものが多く、なかなか本を選びきることができませんでした。

そこで、「人工知能」から連想した用語が「SF(サイエンス・フィクション)」です。特に「SF的想像力」といって、現在の科学ではまだ実現されていないものを、現在の科学から想像して、フィクションで描いていくという小説やマンガ、アニメーションなどの物語の作り方があります。そうしてキーワードを広げていくことで、一つのテーマになるように設定している高等学校では2022年度から始まる新しい学習指導要領で、国語の「解説」で示された「読書」の枠組みなのです。

この本の第1部でブックトークをしてきましたが、ここで、ブックトークの基本的なやり方をもう一度確認しておきましょう。

1. テーマを決める。

2. 本を選ぶ。
テーマに関連する本を、4冊から7冊程度選ぶ。(もっと多くても良い)
小説だけに限らず、論説文や説明文、画集、写真集、マンガなども含めて、テーマに関係する本ならなんでもOK。

3. シナリオ作り(ブックトークの組み立て)。
選んだ本について、テーマに関係する内容について触れながら、次々に紹介していく。
あらすじや概要に触れつつ、本を引用して朗読したり、テーマについて自分が本を通じて考えたことを話したりする。

4. 実際にプレゼンテーションする。
発表する時間は1人20分から30分程度(時間は、会によって調整する)。
シナリオをただ棒読みするのではなく、話す内容を補ったり、アドリブを入れたりしよう。

ブックトークについて解説している本やインターネット上のホームページでは、「**4**」のブックトークの本番について、「**3**」で作ったシナリオに沿って「演じる」としている場合が多いと思います。

けれども実際にブックトークをやってみると、これはビブリオバトルをするときに原稿を作って読み上げてしまう場合と同じように、発表を形式化してしまい、聞いている側がなかなかその発表に入っていけないことが多いように思います。それでは、ブックトークを楽しい場にしたり、次の読書につなげていくことが難しくなってしまいます。

そのため、シナリオはあくまで発表のためのメモと割り切って、その内容を自分自身に引っ張ってくること、そのことでできるだけライブ感を作り出していくことが重要だと思います。

また、ブックトークが終わった後には、紹介した本を並べて誰でも読めるようにしたり、本を選んだときや発表するときの工夫、苦労したことなどを記録しておくと、次のブックトークにつながりやすくなります。

そこに絞っていくことで、生徒、学生はその会に十分に参加することができます。

そして特に読書会でいちばん大切なのは、できるだけ楽しい会にすること。そうなるように、雰囲気作りをすることです。

図書館でやる場合には食べ物や飲み物を持ち込むのは難しいかも知れませんが、別の部屋に場所を移して、みんなでおしゃべりして、食べたり飲んだりしながら、その中で本について話し合うというのも、きっと楽しいと思います。

ヒントになる本

長尾幸子『読書会をひらこう』(学校図書館入門シリーズ16)
全国学校図書館協議会、2008年

吉田新一郎『読書がさらに楽しくなるブッククラブ 読書会より面白く、人とつながる学びの深さ』
新評論、2013年

ブックトークをしてみよう

今後の学校での読書をめぐって注目したいのが、ブックトークです。

ブックトークについては、横浜市立図書館が長いあいだずっと取り組んでいますし、少し前に司書の方のあいだで流行したやり方です。そのため、すでにご存じの方にとっては、今さらという感じもあるかもしれません。

けれども、たとえばビブリオバトルでは、1冊の本で読書が終わってしまいますし、イベントで他の人が紹介した本の中でも、実際に手を伸ばしてみる生徒、学生はどうしても限られてしまいます。

それに対してブックトークでは、一つのテーマに沿って複数の本を次々に読んでいくというやり方をするので、特に本を読むことを通じて読む力を身につけたいときに、効果があると考えられます。そして、こうした芋づる式の読書のときに必要な能力こそが、中学校が2021年度、

読書会の雰囲気作り

これまで、いろいろな読書会の進め方を紹介してきました。これ以外にも、いろいろなやり方、試みがありますので、集まったメンバーや人数、どこでやるのかといった条件から、みなさんに合ったやり方を試してみましょう。

読書会というと少し敷居が高いように思えるかもしれませんが、読書は、きっかけがないとなかなか手が伸びないものだと思います。

日常的に本に接している人は、おそらく何も言われなくても、自然と本を読んでいる人だと思います。一方で、ふだんあまり本を読まない人にとっては、最初の1冊に手を伸ばすことが、なかなかハードルの高いことです。

そのため、特にその最初の数冊は、読まなくてはいけない状況を作っていくこと、読書会に参加するために本を読むように促していくことも重要です。

不読者の問題は、中学生や高校生、大学生が本を読まないとただ嘆いていても解決しません。たとえ最初は先生や司書の方から読むように言われたものであったとしても、その読書体験をきっかけとして、次の本、さらにその次の本と読書へとつなげていき、それをサイクルにしていくことで、少しでもそうした生徒を減らしていくことができるはずです。

また、本を読むときに大切なのは、必ずしも最後まで読み切る必要はないということです。

自分にはちょっと合わないなあ……という本や、難しい本、何を書いているのかなかなか理解できない本もあります。そういうときには思い切っていったん読むのをやめて、別の本に手を伸ばしてみるというのも、読書を続けていく上では重要なことです。

本を読めないまま読書会に参加するのは気が引けるかもしれません。けれども生徒や学生には、まずは自分の読める範囲で読んでみるように促しましょう。たとえば1章を読んでいるだけでも、読書会の話題をョンの形式にしたものがあります。

1. 参加者が1人1冊ずつ、紹介したい本を選ぶ。
2. 本の内容、面白かったところ、読みどころ、おすすめポイントなどを、複数枚のフリップやスケッチブックにまとめる。
3. 1人5分の持ち時間で、作ったフリップやスケッチブックをどんどんめくりながらプレゼンテーションをする。
4. 1人2~3分で、聞き手が発表者に質問をする。

ビブリオバトルのように口頭で説明するだけでなく、フリップやスケッチブックを使って、話す内容を視覚化するところに特徴があります。スケッチブックに描いた絵をパラパラとめくって、ネタを披露していくお笑い芸人の方がときどきいますが、そのやり方を参考にしたものでしょう。

ビブリオバトルで5分間、本1冊だけを手に持って話すことが、難しいという生徒、学生は少なくありません。

一方で、原稿を作って演劇シナリオのように読み上げるというのは、プレゼンテーションを形式の枠にはめ込んでしまうことになるので、自分がその本から得た感情や意見が、どうしても無味乾燥なものになってしまいます。

ビブリオバトルにおけるこの二つの難しさを補うため、フリップやスケッチブックを使うという発想は、とても面白いと思います。絵が得意な生徒にとっては自分が描いたものを他の人に見せる機会になりますし、そうでない生徒にとっても、より自分の言いたいことを伝えるにはどうすれば良いか、さまざまな工夫をすることもできます。また、ビブリオバトルで話す内容がすべて頭の中に入っていなくても、フリップやスケッチブックに書かれた内容で思い出しながらプレゼンテーションをすることができます。

ビブリオプレゼンテーションの応用的なやり方としては、1人1冊を紹介するのではなく、数人のグループでフリップを手分けして作って、1冊の本をプレゼンテーションするというやり方も考えらます。そのため、特に中学生くらいの年代でやるときには、有効なやり方のように思います。

うもので、参加者をいろいろな係に割り振っていくことに特徴があります。

1. 候補になる本をいくつか選びだし、その中から1冊、読みたい本を選ぶ。ただし、今までに読んだことがないものにする。
2. 「1」で同じ本を選んだ人でグループを作る。
3. グループごとに、その日に読む範囲を決める。
4. 決めた範囲を読むときは、グループの中で1人につき一つ以上、役割を決めて読む。全員が必ず違う役割をする。
   [思い出し係]この本を読んだことと、今までに読んだ本や、すでに知っていることとのつながりを考える
   [質問係]本を読んで疑問に思ったこと、グループで話し合いたいことを考える
   [言葉係]読んだ本の中で、特別な言葉をみつける
   [段落係]音読したい段落や、話し合いたい段落を考える
   [イラスト係]面白いと思った場面などをイラストで描く
5. 役割ごとに、読んだことを話し合う。
6. 「3」~「5」を繰り返して、本を1冊最後まで読む。
7. 「6」までの内容をまとめ、発表する。

このやり方は小学生でも簡単にできることが特徴で、実際に国語の授業で取り入れられていることもあります。また、必ず1人につき一つ以上の役割があるので、全員で参加することができるという利点もあります。

一方で、当たる係ごとに、比較的簡単なものと、非常に手間がかかったり、難しかったりするものが出てきます。実際にこの形式でやっている国語の授業では、早く作業を終えてしまった生徒が手持ち無沙汰になってしまい、無為な時間を過ごすことになっている場合もしばしば見られます。そのため、グループごとに役割をどうやってうまく割り振ることができるかが鍵になるでしょう。

ビブリオ・プレゼンテーション

愛知県内の中学校の先生から、国語の授業で実際にやっていると教えて頂いたやり方として、ビブリオバトルを少し変わったプレゼンテーシ

このやり方の難しいところは、ファシリテーターとしての司会者がテーマをどのようにまとめるか、どのテーマについて話し合いをするかというところがとても重要になるので、それを誰が担当するかです。

また、参加者が本の内容について話すときには、必ず、本文のどの部分に自分が注目したのか、自分の考えがどこを読んで得られたものなのかを、具体的に本文に触れながら説明をすることが大切です。

ワールドカフェ形式

同じようなやり方で、もう少し司会者の負担を分散したのが、吉田新一郎さんが「ワールドカフェ形式」と呼んでいるやり方です。

1. 事前に課題図書を読み、みんなと共有したいテーマを持ち寄る。
2. どのテーマについて話し合うかをその場で決める。
3. 4人ずつテーブルに座ってテーマについて話し合う（第一ラウンド）。
4. ホスト役を1人だけ残して、他の参加者は別のテーブルに移動してテーマについて話し合う（第二ラウンド）。
5. 元のテーブルに戻り、第二ラウンドで得たアイディアを紹介し合いながらテーマについて話し合う（第三ラウンド）。
6. 全体で「気付き」や「発見」を共有する。

これは、話し合うテーマを1人の司会者がまとめていくのではなく、テーマごとに複数の司会者を決め、自分の話し合いたいテーマを選んでその司会者のところに集まるというやり方だと言えるでしょう。

話し合いのとき人数が少なくなるので、特に読書会の参加人数が多いときに、より発言をしやすくなるところが長所だと思います。一方で、話し合いのテーマがもともと興味を持っていたところに限られてしまうので、自分では思いつかなかったような意外な発想に出会う機会が少なくなってしまうことがあるかもしれません。

リテラチャーサークル

1990年代からアメリカでさかんになったやり方の一つに、リテラチャーサークルと呼ばれるものがあります。これは、3〜5人のグループで行ているいろいろな問題を解決するために、そのヒントになりそうな評論を取りあげるなどのほうが扱いやすいかもしれません。

たとえば、生徒会や学級会などの会議で話し合いをしなくてはいけないとき。ただその場で思いつきの意見を出し合うのではなく、具体的なテーマをあらかじめ準備して話し合いをするときに向いている方法だと思います。

全員参加型

ここで、私がこれまでやってきた読書会のやり方を、ご紹介しましょう。

これは、私が大学生だったときに哲学者の長谷川宏さんが自宅で開催されていた読書会に参加していたときの形式なのですが、それを作り直して、とある出版社の会議室で数年間、定期的に開いていたものです。

1. 「課題図書」を決めて、全員で読んでくる。
2. 1人5分程度で、全員が、その本を読んで考えたこと、感じたことを話す。
3. 全員が話を終えたところで、司会者が、参加者から出てきたテーマを3~4つ程度にまとめる。
4. 「**3**」で挙がったテーマについて、順番に意見交換を行う。
   特に、そのテーマについて「**2**」で触れた人には、もう少し具体的な考えを聞かせてもらう。
5. 「**4**」を、「**3**」で挙げたテーマの数だけ繰り返す。
6. 「**3**」で挙がったテーマに限定せず、本の内容全体について振り返る。

誰かがプレゼンテーションのための準備をする必要がないので本を読むだけで気軽に参加でき、「**3**」のところではおしゃべりをしながらやると、とても楽しい場になると思います。また、小説やエッセイ、シナリオなども含めて、いろいろな種類の本で行えることが特徴ですが、小説でやったときが「**3**」のところで参加者からいろいろな視点が出て、いちばん面白かったように思います。

が、非常に多く見られるようになりました。

このやり方は、中学生や高校生にはどうしても堅苦しく感じられてしまうので、なかなか難しいかもしれません。

一方で、このやり方で小説を扱うときには、いろいろ工夫することができそうです。

たとえば、音読をするときに語り手(ナレーター)や作中人物ごとに担当を割り振って、劇のような形にするなどが挙げられます。朗読のワークショップで取り入れられる方法ですが、セリフの一つ一つをどうとらえるかが問われるので、図書館でのイベントや文芸部などの活動、あるいは直近で公演がないときの演劇部の練習として、取り入れてみましょう。

このとき、作中人物がなぜそのような行動をとったのか、作中人物がどのような気持ちで発話したのかについて、場面の区切りごとに話し合いながら進めていくと、より読みが深まります。そのときは自分でただ想像するのではなく、作中人物の行動の動機や気持ちについて、必ず本文のどこから自分が読み取ったのかを説明できるようにしましょう。

まちヨミ

ここ数年注目されている読書会として、「まちヨミ」が挙げられます。これは、日本でいちばん大きい読書会組織の一つ、財団法人「Read for Action」が進めているものです。

もともと、アメリカのフィラデルフィアで行われている読書イベント「One Book, One Philadelphia」を日本に持ち込んだもので、次のようなやり方でやっています。

1. 自分の住んでいる(読書会を開催する)町にピッタリな本を1冊選ぶ。
2. 参加者は、「もしも本の著者がいたら?」という設定で、質問を作る。
3. 「2」で作った質問の答えを探すように、課題図書を読む。
4. 読書会では、「3」でみつけた「答え」についてお互いに話し合う。
5. 本から得た「気付き」を共有して、実際の行動に移してみる。

ただ、このやり方は。小説などの本よりは、それぞれの「町」が抱え表が終わった後、発表者に質問や確認などをしていくことになります。

また、本1冊を1人で担当して、そのすべてを発表してもらうという形式もあります。

大学の授業などでよく見られるものですが、論説文などの本を1人で通して読むことはなかなか難しいと思います。そんなとき、他の人がその本をどう読んだのか、自分が読み取った内容と同じだったのか、違っていたのかをたしかめながら読んでいくために、有効な方法です。

この方法では、参加者全員が本をあらかじめ読んでくることが基本になります。一方で、自分が発表に当たっていないときに読んでこない人がいたり、他の人の発表を聞くときに「お客さん」になってしまい、聞くだけで終わってしまう人が多いのが、進めていく上で難しいところです。

音読／解釈形式

あらかじめ本を読んでくるのではなく、その場で読んで、内容を確認していく形もあります。

たとえば、次のような手順で行われます。

1. 音読担当者と解釈担当者を決める。
2. 音読担当者が指定された範囲を音読する。
3. 解釈担当者が、音読された部分の内容をまとめ、その場で要約を話す。
4. それ以外の人が、「3」の内容について疑問点を質問したり、意見交換をしたりする。
5. 次の範囲について、「1」~「4」を繰り返す。
6. 本が最後まで読み終わったら、全体の内容について話し合いを行う。

これは、どこかで見たことのある形ではないでしょうか?

そう、国語の現代文の授業で行われているやり方ですね。

昔は、この「解釈担当者」が国語の先生になることが多かったと思います。けれども最近の授業では、「解釈」のときにグループごとに話し合いをしたり、発表をしたりして、生徒に活動をさせるという形の授業

読書会を開こう

ビブリオバトルをやっていると、発表者は、紹介するために本1冊を読み切る、その内容をポイントを絞ってまとめるという作業をやることになります。

また、各大会の動画を見ていると、どのようにしてその本に出会ったのか、なぜその本を手に取ったのかなど、個人的な体験と結び付けて本を紹介することが多くなっているように思います。

このように本のポイントをまとめたり、話の展開を考えて人前で話すことができるようになるというのは、とても大切なことだと思います。

一方で、このときに求められている力は、ふだんの国語の授業で勉強をしている内容とは異なっています。国語の授業では、本文のより具体的な部分について、前後の文章に書かれている内容から考えることが求められます。

また、文章として書かれている言葉の一つ一つが持っている意味を正確にとらえて、それを読み解いていくことが、「読解力」だと言われることもあります。

それでは、本を読んでいくことで、こうした力を身につけていくことはできないのでしょうか？

このとき、日本でも昔からよく行われてきたのが、読書会です。

読書会は、会によって、主催者によって、本当にいろいろなやり方があります。

ここで、代表的なものをいくつか挙げてみましょう。

輪読（りんどく）形式

1冊の本は多くの場合、第1章、第2章……のように、章に分けられています。そこで、各章ごとに担当者を決めて、その担当者が自分が当てられた章の要約と、その内容から感じた疑問点、考えたことなどを資料にまとめ、発表（プレゼンテーション）していくという形です。聞き手は発配慮すること。

ビブリオバトルでは、まずはそれぞれが「面白い」と思った本をみんなで楽しく共有して、読みたいと思う気持ちを一緒に分かち合うことが重要視されていると言えるでしょう。

一方で最近では、最初に本を選ぶときにあるテーマやジャンルで制限をかけて、同じような本が好きな人たちのあいだで行われることも多くなってきました。

また、ビブリオバトル普及委員会が出しているルールからは外れてしまうのですが、中学校や高校で行われるときは原稿を見ないでやるというのがなかなか難しいので、シナリオを用意して実施しているところも多いようです。

ただ、こうした活動にすると、たしかに「学習」として生徒にやってもらう分には良いのですが、ビブリオバトルの楽しさが伝わりにくくなったり、どうしても「勉強」として生徒が「やらされている」感じがでてきてしまう可能性があるので、バランスが難しいところです。

特にイベントとしてやるときは、まずは何より、楽しむことが重要になると思います。

公式大会は動画サイトのYouTubeで動画が公開されているので、すぐにみつかると思います。ビブリオバトルをやるときには、ぜひ覗いてみてください。

ヒントになる本

谷口忠大『ビブリオバトル 本を知り人を知る書評ゲーム』
文藝春秋〔文春新書〕、2013年

谷口忠大（監修）・沢音千尋（マンガ）・粕谷亮美（文）『マンガでわかる ビブリオバトルに挑戦! 学校・図書館で成功させる活用実践ガイド』
さ・え・ら書房、2016年

ビブリオバトル普及委員会『ビブリオバトル ハンドブック』
子どもの未来社、2015年

須藤秀紹・粕谷亮美『読書とコミュニケーション ビブリオバトル実践集 小学校・中学校・高校』
子どもの未来社、2016年

これはもともと、京都大学大学院情報学研究科共生システム論研究室で、谷口忠大さんが始めたやり方でした。

ビブリオバトルは、一言で言えば「書評ゲーム」です。

「書評」はもともと、出版された本についての感想や読みどころ、面白いところ、どういう部分に注目して読むのが良いのかなどを、評論家や書評家の人たちが新聞や雑誌などに書くものでした。ビブリオバトルはそれを口頭で行い、なおかつ、参加者でそれを楽しんでやろうというコンセプトで行われており、その部分がとても魅力的です。

2010年にビブリオバトル普及委員会ができてから全国に広がり、現在では子どもから大人まで楽しんでいます。図書館などでの小さなイベントから、地区予選、地区決戦を経て、「全国高等学校ビブリオバトル決勝大会」や「全国大学ビブリオバトル」といった全国大会まで開かれる、非常に大きなものになっているのです。

もう学校でやったことがあるという人もたくさんいると思いますが、まずは、「公式ルール」を見てみましょう。

1. 発表参加者が読んで面白いと思った本を持って集まる。
2. 順番に1人5分間で本を紹介する。
3. それぞれの発表の後に参加者全員でその発表に関するディスカッションを2~3分行う。
4. 全ての発表が終了した後に「どの本が一番読みたくなったか?」を基準とした投票を参加者全員1票で行い、最多票を集めたものを『チャンプ本』とする。

以上の4つだけという、とてもシンプルなルールです。その中で、特に大切にされている、いくつかのポイントがあります。

まずは、本を選ぶとき、発表者自身が「読んで面白い」と思った本を選ぶこと。

そして、発表するときは原稿や、聞いている人たちに配る資料などを用意せず、その場限りのライブとして、5分間の持ち時間をたっぷり使って話をすること。

発表者の揚げ足をとったり、批判したりせず、楽しい場になるように新しく建築したり、改装したりするところでは、利用者がより滞在しやすい場になるよう、さまざまな工夫が凝らされています。イベントの開催も、こうした状況の中で変化してきているのです。

その中で最近特に注目されているのは、井上奈智・高倉暁大・日向良和『図書館とゲーム イベントから蒐集へ』のように、図書館でボードゲームをするというものです。

図書館で堂々とゲームをやる。それだけでちょっとドキドキしませんか?

これもやり方によっては、学校図書館でできることの一つのように思います。

学校の図書館や、そこで司書教諭の先生、学校司書の先生のお手伝いをする図書委員会というと、どうしても本の貸し出しの仕事が中心になってしまいます。けれどもそれだけでなく、いろいろなアイディアをだしあって、学校の図書館もみんなが楽しめる場所にしていきましょう。

ヒントになる本

全国学校図書館協議会編『図書館ごよみ&イラスト1200』
全国学校図書館協議会、2015年

牛尾直枝・高桑弥須子『学校図書館が動かす 読書イベント実践実例集』
少年写真新聞社、2016年

秋田倫子『来館待ってます! 手軽にトライ 学校図書館のアイデア&テクニック』
少年写真新聞社、2017年

門内輝行『シリーズ 変わる! 学校図書館』(1-3)
ミネルヴァ書房、2018年

井上奈智・高倉暁大・日向良和『図書館とゲーム イベントから蒐集へ』(図書館実践シリーズ39)
日本図書館協会、2018年

大橋崇行『司書のお仕事 お探しの本は何ですか?』
勉誠出版、2018年

ビブリオバトル

そうしたイベントの中でも、中学校や高校、大学の図書館、あるいは国語の授業で近年広がっている活動は、やはりビブリオバトルでしょう。

校図書館でも、図書館や本に親しんでもらうためのいろいろな企画が組まれています。

いちばんよく見られるのは、本の展示や、図書館の飾り付けでしょうか。図書委員をやっている中学生、高校生でしたら、学校図書館の司書の先生と一緒に作ったという人もいるかもしれません。

おすすめ本を紹介したり、大きな賞を受賞した小説を展示したり。あるいは、季節にちなんだイラストや飾りを作ってそれに関連する本を置いたり、「ミステリ」「ゾッとする本」「泣ける本」のように、テーマに沿った本を展示したりすることもあるでしょう。

また、図書館についての情報誌(図書館報)を作って配付するというのも、多くの図書館で行われていることの一つです。

この他にも、図書館で行う朗読会や講演会は、昔からよくあるイベントの一つです。また最近の公共図書館では、演奏会や写真の展示、ワークショップ、図書館ミステリツアー、図書館に泊まるイベントなど、いろいろな試みが行われています。

学校図書館でも、図書館にブックカフェを開いたり、ファッションショーをしたり、生徒が音楽のライブをしたりという取り組みが行われるようになってきました。学校図書館を本を読む場としてだけではなく、生徒たちが集まる「場所」、あるいは、授業ではなかなか学ぶことができないことに取り組む「場所」と位置づけて、そういう「場所」を提供する形にしようという考え方が広がってきているのです。

図書館では少し前まで、「貸出型」の考えが強く根付いていました。図書館を市民や生徒、学生が本を借りる場所として位置づけ、できるだけ多くの本を貸し出し、読んでもらおうという考え方です。どれくらいの点数が貸し出されていたのかが自治体などで図書館の評価につながっているのは、そうした考え方を受けたものです。

一方で近年では図書館を、個人に限らずグループでの学習を含めた勉強としての場や、人々の交流の場と位置づけたり、あるいは調べものをしながら仕事をする場として使ってもらったりすることを重視する「滞在型」に移行させようという考え方が広がってきました。特に図書館を

図書館でイベント！

2018年7月21日。私が勤めている東海学園大学の図書館で、「スカベンジャーハント@東海学園大学図書館」というイベントを開催しました。

スカベンジャーハントとは、直訳すると「ごみ拾い」「がらくた集め」というくらいの意味なのですが、ヨーロッパやアメリカでよく行われるゲームです。

参加者を2〜4人くらいのチームにわけ、「宝の地図」を渡します。その「宝の地図」にはいくつかのメッセージが書かれています。そのメッセージが「謎」として問題になっていて、それを解くことができると、問題ごとにポイントがついていきます。そのポイントを集めていって、いちばん多くポイントを獲得したチームが優勝となります。

特に図書館でやるときには、問題が図書館の使い方や本の探し方の入門になっていたり、ゲーム中に「謎」を解いた結果みつかった本を読んで本文の中から「答え」を探してもらったりするなど、本を読むことに親しんでもらう、あるいは、読解力を身につけてもらうことを目指して行うことになります。

日本国内でもいくつかの大学図書館がすでに取り入れており、特に国際基督教大学のイベントは、非常によくできています。それを、2018年4月に刊行した拙著『司書のお仕事 お探しの本は何ですか？』（勉誠出版）で紹介したので、実際にやってみようということになったのです。

このスカベンジャーハントに限らず、大学図書館や公共図書館、学

第2部では、特に中学校や高等学校の先生、司書、学校司書の方に向けて、読書会や読書イベントのやり方について説明しています。

中学生や高校生のみなさんには、少し難しい内容も含まれているかもしれません。けれども、文芸部の活動や、図書委員会で開催するイベント、本が好きな人たちで集まって開催するイベントなどをやるときがあったら、参考になることも多く書かれています。

また、後半では、中学校では2021年度、高等学校では2022年度から本格的に施行される新しい学習指導要領に書かれた「国語」の内容と読書とが、どのように関連づけられるのかについて書いてあります。いわゆる「PISA型読解力」のとらえ方と、そこで求められている「読解力」がどのようなものか、それが国語の学習指導要領とどのように結び付いているのか、そうした「読解力」を生徒にどのようにして身につけさせていくのかということについても、考えていきたいと思います。

イベントで読書をしよう

ビブリオバトル、読書会、ブックトーク

大橋崇行 おおはし・たかゆき
作家、日本近代文学研究。成蹊大学文学部准教授。上智大学文学部国文学科、上智大学大学院文学研究科国文学専攻博士前期課程を修了後、総合研究大学院大学文化科学研究科日本文学研究専攻修了。博士(文学)。岐阜工業高等専門学校、東海学園大学を経て現職。
小説に『遥かに届くきみの聲』(双葉社、第1回双葉文庫ルーキー大賞)、「司書のお仕事」シリーズ(小曽川真貴監修、勉誠出版、既刊2冊)、『小説 牡丹灯籠』(柳家喬太郎監修、二見書房)など。研究書に、『言語と思想の言説』(笠間書院)、『小説の生存戦略』(山中智省と共編、青弓社)などがある。

中高生のための本の読み方
読書案内・ブックトーク・PISA型読解

Booktalks for Young Adult
Ohashi Takayuki

発行
2021年1月25日　初版1刷
2021年6月30日　　　2刷

定価
1800円+税

著者

発行者
松本功

デザイン
三木俊一(文京図案室)

印刷・製本所
株式会社 シナノ

発行所
株式会社 ひつじ書房
〒112-0011 東京都文京区千石2-1-2 大和ビル2F
Tel.03-5319-4916　Fax.03-5319-4917
郵便振替00120-8-142852
toiawase@hituzi.co.jp　https://www.hituzi.co.jp/
ISBN978-4-8234-1027-7